LE GRAND LIVRE DE **PAPA**

LE GRAND LIVRE DE PAPA

Chantecler

Sommaire

Félicitations ! Vous êtes papa	7
Devenir père : rien que du bonheur !	8
0-3 mois : Petits jeux pour bébé et son papa !	18
Comment être un bon papa	26
0-3 mois : Encore plus de jeux pour bébé et papa !	34
Ce que les papas ne peuvent pas faire	42
3-6 mois : Petits jeux pour bébé et son papa !	50
Conseils d'éducation pour les papas	58
3-6 mois : Encore plus de jeux pour bébé et papa !	66
Idées pour être un papa extraordinaire	74
6-9 mois : Petits jeux pour bébé et son papa !	82
Expressions sur les pères	90
6-9 mois : Encore plus de jeux pour bébé et papa !	98
A faire avec votre enfant !	106
9-12 mois : Petits jeux pour bébé et son papa !	112
Ce que disent les enfants de leur papa	122

Félicitations ! Vous êtes papa

Cet ouvrage s'adresse tout particulièrement aux papas, étant donné qu'ils sont tout à fait différents des mamans !

Beaucoup de papas sont quelque peu déroutés après la naissance de leur enfant. Tout est pourtant si simple ! Les bébés adorent notamment qu'on leur consacre du temps. Ils aiment être câlinés, cajolés et apprécient qu'on joue avec eux. Plus vous vous occuperez de votre bébé, plus vous apprendrez à vous connaître l'un et l'autre. Un lien très fort se développera dès lors entre vous.

Dans ce livre, vous trouverez plein de conseils, de citations comiques et émouvantes sur la paternité, et un tas de jeux à faire avec votre petit trésor. Chaque enfant se développe à son propre rythme. Regardez-le, écoutez-le communiquer avec vous et consacrez-lui du temps. Il doit sentir qu'il a un père à ses côtés. C'est très important de jouer avec lui, de faire le pitre, de danser. Un lien spécial se créera entre vous, et il durera toute la vie.

Par souci de lisibilité, vous constaterez que l'on emploie les termes « enfant », « bambin », « gamin », aussi bien pour parler des garçons que des filles. Bien sûr, tout ce que je dis vaut aussi bien pour les garçons que pour les filles.

Bonne lecture !

Devenir père : rien que du bonheur !

Les futurs pères, ou ceux qui viennent de le devenir, sont souvent soucieux de savoir si leur vie ne va pas trop changer après la naissance de leur bébé.

Soyez sans crainte, le fait de devenir père n'a que des avantages. Cela commence déjà quand votre femme est enceinte : c'est un moment idéal pour acheter une plus grande voiture, des outils (il faut bien aménager la future chambre du bébé, non ?), un appareil photo, une caméra, etc.

Après la naissance de votre bébé, c'est encore plus gai même s'il est vrai que, au cours des premiers mois, vous n'en profitez pas vraiment. Il mange, il pleure, il dort, il salit un nombre considérable de couches et c'est à peu près tout. Il y a quelques points positifs tout de même : les regards attendris des femmes quand vous vous promenez avec la poussette, par exemple. Les gens sont plus sympathiques avec vous : le porte-bébé ventral est un autre accessoire fantastique. De plus, votre belle-mère peut enfin se rendre utile comme baby-sitter !

Quand votre enfant grandit, la fête continue ! Vous pouvez vider son assiette quand il n'a plus faim, vous avez un camarade de jeu pour l'ordinateur, et vous avez une excuse imparable pour ramener des monceaux de bonbons et de sucreries à la maison.

Vous découvrirez au fil des pages suivantes un aperçu des avantages de la paternité.

Votre femme accouche bientôt, il est donc temps d'acheter cette fantastique (et très chère) caméra vidéo !

✔

Les enfants laissent souvent les meilleurs morceaux dans leur assiette, et papa peut donc finir les restes.

✔

C'est une bonne occasion pour arrêter de fumer, si vous le voulez.

✔

Vous vous sentirez particulièrement costaud à porter votre enfant sur vos épaules.

✔

Vos enfants seront ravis si vous les amenez à la foire ou au parc d'attractions.

✔

Même vos tours de magie les plus éculés remportent un énorme succès.

Vos enfants trouvent que vous êtes le meilleur conteur d'histoires au monde.

✔

Rien de plus amusant que faire la cuisine avec vos enfants !

✔

Réveillez l'architecte qui sommeille en vous, et fabriquez des chefs-d'œuvre en cubes de construction.

✔

Votre enfant vous sert d'excuse quand vous arrivez en retard.

✔

Noël et les autres fêtes de famille deviennent formidables quand il y a des enfants.

Contrairement à votre femme, votre enfant vous regarde avec des yeux admiratifs quand vous tirez à la carabine au stand de tir.

✔

Les enfants vous donnent souvent une bonne occasion de prendre des airs de martyr.

✔

Ils sont une excellente excuse pour ramener un monceau de sucreries à la maison.

✔

Vous pouvez vous rafraîchir la mémoire en faisant des exercices scolaires avec votre enfant.

✔

Si votre petit vous imite, vous pouvez prendre ça comme un compliment.

✔

Grâce à votre enfant, vous vous tenez au courant de l'actualité musicale.

Les enfants veillent à ce que vous entreteniez votre corps. Ils adorent, par exemple, nager avec vous.

✔

Vous êtes une vraie star quand vous préparez des crêpes, surtout si vous les faites sauter !

✔

Votre enfant sera très fier des trophées sportifs gagnés dans votre jeunesse.

✔

Tout comme vous, vos enfants ne se formalisent pas du désordre dans la maison.

✔

Si vos enfants vous accompagnent, les commerçants sont plus amicaux que lorsque vous êtes seul.

✔

Les enfants veillent à vous divertir quand vous êtes coincés dans les embouteillages.

Vous vous sentez enfin adulte.

✔

Sans les enfants, le premier avril n'en vaudrait pas la peine.

✔

Même les pires blagues les font rire.

✔

Vous vous musclez le dos à force de jouer au chameau.

✔

Vous pouvez lire leurs bandes dessinées.

✔

Cela devient très comique d'aller au carwash.

✔

Vous êtes obligés d'amener un jour vos enfants à Disneyland.

Les petits bouts adorent quand vous chantez.

✔

Les ados s'offrent les nouveaux jeux vidéo avec leur propre argent de poche. Vous ne devez donc plus les acheter vous-même.

✔

Votre angelot est toujours content quand vous rentrez à la maison.

✔

Si vous avez oublié vos clés, votre bambin peut se glisser dans la maison par une fenêtre ouverte.

✔

Votre belle-famille vous voit enfin comme une personne à part entière.

✔

Votre enfant adore aller chercher vos pantoufles.

Vous avez enfin une bonne excuse pour acheter ce train électrique hors de prix.

✔

Les femmes trouvent très séduisant un homme qui porte un bébé.

✔

Vous avez un camarade de jeu pour l'ordinateur.

✔

Vous pouvez porter un tee-shirt ou un tablier de cuisine avec l'inscription « Papa est le meilleur ».

✔

Il peut être votre ramasseur de balles quand vous jouez au tennis.

✔

La baignoire de votre bébé est très commode pour les bains de pieds !

Vous recevez des cadeaux le jour de la fête des pères.

✔

Vous arriverez peut-être à convaincre votre femme d'acheter un chien.

✔

Vous pouvez regarder des dessins animés avec votre enfant le dimanche matin.

✔

Enfin une bonne raison pour acheter une plus grosse voiture.

✔

Vos enfants pensent que vous savez tout et pouvez tout faire.

Devenir père ne fait pas mal : ce n'est pas vous qui devez accoucher.

✔

Vous avez maintenant une bonne raison pour dévaliser les magasins de jouets.

✔

Vous avez quelqu'un avec qui jouer au cerf-volant.

✔

Vous pouvez jouer au football avec votre fils ou votre fille.

✔

Vous obtenez tout de suite une place dans le train ou dans le bus.

✔

Vous avez un sujet de conversation avec vos voisins.

0-3 mois

Petits jeux pour bébé et son papa !

Durant les trois premiers mois de la vie d'un bébé, les sens sont très importants. Le contact que le bébé établit avec le monde extérieur est déterminé par ce qu'il voit, ce qu'il sent, ce qu'il goûte, ce qu'il entend et ce qu'il touche.

Les nouveau-nés peuvent voir avec précision jusqu'à 20 cm de distance, et suivre du regard un objet mû lentement devant leurs yeux. Ils préfèrent en général les objets de grande taille, contrastés, ronds et dont la forme n'est pas trop compliquée. Tout ceci explique pourquoi le visage humain présente autant d'intérêt à leurs yeux.

Les yeux sont bien sûr très importants, mais ne négligez pas le reste du visage : au bout de quelques semaines, les bébés reconnaissent l'odeur de leur père et réagissent à sa voix. Leur ouïe est aussi développée que celle des adultes : ils sursautent aux bruits soudains et violents, et se calment en entendant leur musique favorite.

L'apprentissage du monde extérieur se fait également par le toucher. Les bébés adorent saisir les objets, les tenir et les agiter. Ils apprécient les caresses et les massages qui, en plus d'être bénéfiques d'un point de vue purement physique, ont également un effet apaisant.

Pionniers

Ça y est, l'aventure a commencé !
A partir de maintenant, le lien avec votre enfant peut prendre forme et se construire. Mais, auparavant, vous devez apprendre à vous connaître mutuellement. Etablissez un contact et vous verrez que votre bébé réagit. En effet, aussi petits qu'ils soient, les nouveau-nés apprécient qu'on s'occupe d'eux, et sentent très bien si on s'intéresse à eux ou pas. Tenez votre bébé dans une position où vous vous sentez à l'aise et partez à la découverte de ce petit être. Qui est-il ? Examinez son nez, ses yeux et ses oreilles... Vous ressemble-t-il ?

CONSEIL | *Ressortez de vieilles photos de vous quand vous étiez bébé et regardez les points communs entre vous et votre enfant. Photographiez votre enfant dans la même posture et placez les deux portraits l'un à côté de l'autre.*

Eh, c'est mon papa !

Peut-être avez-vous peur de prendre votre enfant, parce que vous ne savez pas trop comment faire et que vous craignez de lui faire mal. Cependant, votre bébé a besoin de contact. Comment pourra-t-il, sans cela, savoir que vous êtes son père ? En câlinant votre bébé, vous apprenez à le connaître, mais vous l'aidez également à vous apprivoiser. Quand vous lui parlez, il entend votre voix. Quand vous le tenez, il sent votre peau. Quand il se penche vers vous, il sent votre odeur, et il comprendra vite que vous êtes son papa !
Allongez-vous sur le canapé et prenez votre bébé à plat ventre contre le vôtre. Encouragez-le à redresser la tête. Récompensez-le s'il réussit !

Bon à savoir

Votre bébé ne vous en voudra absolument pas si vous le manipulez avec une légère maladresse. S'il ressent vos bonnes intentions, il se sentira rassuré.

Positions préférées

Votre bébé adore se réfugier dans vos grandes mains, il s'y sent bien et en sécurité. N'oubliez en aucun cas de bien soutenir sa petite tête.
Vous pouvez le laisser s'appuyer contre vous de différentes manières. Penchez-vous légèrement vers l'arrière et tenez-le debout contre vous, ou couchez-le sur votre avant-bras, la tête dans le creux de votre coude tandis que vous soutenez ses petites fesses de l'autre main. Certains bébés aiment beaucoup se coucher avec le ventre sur l'avant-bras de leur papa, surtout s'ils peuvent appuyer leur menton ou leur joue contre le coude de papa et être délicatement massés sur le dos.
Attention, l'humeur des bébés est changeante. Un jour, ils trouveront la position très agréable, le lendemain ils se mettront à pleurer.
N'insistez pas si cela se produit. Respectez l'humeur et les envies de votre bébé au jour le jour.

Affichez-le !

Pour certains pères, le coup de foudre envers leur bébé est immédiat. D'autres ont besoin de plus de temps pour s'habituer à leur enfant. Accordez-vous ce temps, tout en demeurant aussi attentif que possible à votre bout de chou. Agrandissez une belle photo de votre bébé et apportez-la sur votre lieu de travail. Vous pourrez ainsi la regarder et profiter à tout moment de votre petit trésor !

Quelles attentes, quels rêves et quels projets d'avenir nourrissez-vous pour votre enfant ?

Courses de vélo

Votre bébé est encore trop jeune pour la course à pied, mais il va adorer faire du vélo avec son papa. Couchez-le sur le dos, prenez ses petites jambes et pédalez en douceur. Inventez également une petite chanson.

A vélo, vélo vélo
Partons pour le Congo, oh oh
Ce sera rigolo, oh oh
De voir les petits bébés eh eh
Jouer et pédaler eh eh
On jouerait toute la nuit i i
Mais faut aller au lit i i
Bonne nuit mon chéri ! ! !

Du temps ensemble

Eteignez la télé, mettez votre journal de côté et accordez-vous un long moment ensemble. Bavardez, chantez, écoutez-le, partez en voyage dans la galaxie de sa chambre, dansez, portez-le dans vos bras, embrassez-le, massez-le, etc.
Saviez-vous que les bébés adorent les câlins de leur papa ? Commencez en douceur. Evitez de vous précipiter pour lui faire des papouilles, mais cherchez d'abord le contact avec ses yeux et parlez d'une voix apaisante avant de le prendre dans vos bras. N'oubliez pas qu'il perçoit tout ce qui se situe à plus de 20 cm de distance comme à travers un brouillard, et que cela peut rapidement l'effrayer.

Bon à savoir

Les nouveau-nés sont très bien « équipés » physiquement pour examiner ce qui est le plus important pour eux : le visage humain. Ne l'oubliez pas.

A la recherche du son

Assurez-vous que votre bébé vous regarde, puis agitez une clochette ou un hochet, ou appuyez sur une petite peluche qui fait du bruit. Veillez à ce qu'il puisse bien voir d'où provient le son. Recommencez, mais en dehors de son champ de vision. Va-t-il tenter de trouver d'où provient ce son ?

Bavardage

Il est impératif de papoter avec votre bébé pour son développement oral. Peut-être trouvez-vous idiot de bavarder avec un si petit bonhomme ? Que pouvez-vous bien lui raconter ? Il ne peut encore rien vous répondre ! Ceci n'est pas tout à fait vrai. S'il est vrai qu'il ne déclamera pas tout de suite de longues phrases alambiquées, votre bébé produira vite ses premiers sons. Cela commencera par des bribes de mots, un mélange de tout et n'importe quoi, et vous verrez qu'il en sera le premier surpris. Tous ces « eh », « ah » et « euh » sortent-ils vraiment de sa propre bouche ?

Prenez les mains de votre bébé et regardez-le. Parlez de son nez, de ses oreilles, du temps qu'il fait dehors ou de votre journée au bureau. Ce que vous lui racontez importe peu, du moment qu'il entend votre voix. Plus vous communiquez, plus vous augmentez les chances qu'il vous réponde. S'il réagit à votre voix, c'est qu'une première conversation s'est établie, bien que vous deviez attendre encore un certain temps avant qu'il ne se lance dans de grands discours !

Le réflexe d'embrassement (ou réflexe de Moro)

Couchez votre bébé dans son lit sur le dos, hors de ses draps, et balancez délicatement son lit. Vous verrez que, pour essayer de se raccrocher à quelque chose, votre bébé lancera ses bras et ses jambes en l'air. Ce réflexe se manifeste exclusivement au cours des premières semaines qui suivent la naissance. Il est d'autant plus visible si vous tenez votre bébé contre vous et que vous faites soudain mine de le laisser glisser en le maintenant par les genoux. Que ce soit à votre pull ou à votre cravate, il essayera de s'agripper à tout ce qu'il trouve.
Au lieu de faire sursauter votre enfant, massez-le : enduisez vos mains d'huile et frottez doucement ses bras et ses jambes. Ces massages apaisent souvent les bébés.

CONSEIL *Evitez d'exciter votre enfant juste avant qu'il aille au lit. Ne jouez pas à des jeux trop « sauvages». Il aurait par la suite du mal à s'endormir.*

Gymnastique pour bébé

Faire de la gymnastique avec son bébé... Voilà souvent le début d'une carrière de grand sportif !
Prenez ses mains et agitez (avec douceur !) ses bras, de haut en bas et vers les côtés. Ensuite, faites de même avec ses jambes. Plaquez votre main sous ses petits pieds et regardez s'il pousse dessus pour les écarter. Après ces exercices exténuants, prenez une douche ou un bon bain ensemble.

Eh, je veux ça !

Les mains et les pieds de votre bébé sont ses plus chouettes jouets. Ils bougent, ils sont doux, ils ont bon goût et... il les a toujours à portée de main !

Touchez du doigt l'intérieur de sa main, et vous sentirez ses doigts minuscules se refermer immédiatement sur les vôtres. Touchez le dessous de ses pieds, et ses orteils réagiront de la même manière. C'est ce qu'on appelle le réflexe de préhension.

Comme la coordination entre les yeux et les mains de votre bébé n'est pas encore optimale, il ne peut rien attraper avec succès. Gardez une petite peluche multicolore à portée de ses yeux et de ses mains. Au début, il se bornera à la regarder, fasciné, mais au bout d'un certain temps, il tendra les mains pour essayer de la toucher et de la prendre.

Comment être un bon papa

Devenir père change la vie... Mais que faut-il pour être un « bon » papa ? Si vous mettez tout en œuvre pour le bonheur de votre enfant et que vous lui consacrez du temps, vous êtes sur la bonne voie.

Rien ne sert de dévorer des guides pédagogiques... Du bon sens et du respect pour la personnalité de votre petit sont d'excellents points de départ pour son éducation.

Evitez de le gâter avec des tas de jouets chers. Les enfants ont avant tout besoin d'amour et d'attention. Nos plus chers souvenirs nous viennent en effet principalement des moments de chaleur et d'affection. Maman qui préparait notre dîner préféré quand on était un peu triste, papa qui racontait les plus belles histoires avant d'aller dormir, etc.

Vous trouverez ici quelques conseils pour être un « bon » papa : des indications simples et éducatives et des idées d'activités à faire ensemble.

Montrez que vous êtes content de voir votre petit trésor.

✔

Les enfants ont besoin de discipline. Montrez-leur clairement les limites à respecter.

✔

Ne proférez pas de menace pour imposer l'obéissance à votre petit diable. Evitez les phrases du genre « si tu continues à être infernal, tu iras à l'internat ».

✔

Donnez-lui votre numéro de téléphone au bureau. Quand il appelle, prenez toujours la peine de répondre, même si vous êtes en réunion.

✔

Apprenez-lui à ne pas avoir peur des animaux, mais à être prudent. Montrez-lui clairement que vous ne tolérez pas qu'il leur fasse mal.

Appelez-le si vous êtes en voyage d'affaires.

✔

Gardez à l'esprit que les valeurs que vous lui inculquez sont pour la vie.

✔

Promenez le chien ensemble.

✔

Racontez-lui une histoire avant d'aller dormir.

✔

Ne mettez pas votre fils ou votre fille mal à l'aise devant ses amis ou amies.

✔

Faites la course ensemble. Bien sûr, laissez-le gagner de temps en temps. Le jour où il vous battra réellement, vous ne l'oublierez jamais !

✔

Laissez-le s'habiller seul. Ce n'est pas grave si son pull est à l'envers.

Montrez de l'amour, ou du moins du respect, pour sa mère.

✔

Veillez à être de retour à la maison pour le dîner.

✔

Laissez votre petit ange vous aider à effectuer de petits travaux à la maison. Donnez-lui éventuellement un outil.

Apprenez-lui à ne pas émettre de jugement négatif à propos des autres.

✔

Soyez cohérent : ne lui interdisez pas demain ce que vous lui permettez aujourd'hui.

✔

Faites-le rire.

✔

Apprenez-lui à ranger les jouets avec lesquels il s'est amusé.

✔

Ne tolérez aucun mensonge de sa part. Apprenez-lui à être honnête et à avouer ses fautes ou ses mauvaises actions.

✔

Si vous avez une divergence d'opinion avec votre femme concernant votre enfant, n'en parlez pas devant lui.

Montrez-lui, pas uniquement avec des mots, que vous l'aimez.

✔

Apprenez-lui à être ponctuel.

✔

Soyez patient.

Ne soyez pas fâché si votre gamin, devenu adolescent, vous « emprunte » votre tee-shirt préféré ou vos plus belles chaussettes.

✔

Sachez perdre aux jeux, de préférence avec le sourire.

Partez camper ensemble dans le jardin.

Achetez ou confectionnez ensemble un cadeau pour la fête des mères.

✔

Apprenez à votre enfant à avoir du respect pour la nature.

✔

Laissez-le lire le journal avec vous. Discutez-en ensemble ensuite.

Emmenez votre chérubin à la bibliothèque, même s'il est encore petit. Il sera tout fier de choisir ses propres livres, ce qui stimulera son goût pour la lecture.

✔

Ecrivez une histoire ou un poème spécialement pour votre chérubin.

✔

Allez ensemble au parc d'attractions. Bien entendu, vous êtes censé l'accompagner dans les montagnes russes où maman n'ose pas s'aventurer !

✔

Donnez l'exemple : ne fumez pas.

✔

Ecoutez ses soucis et prenez-les au sérieux.

✔

Ne vous moquez pas de ses goûts musicaux.

0-3 mois

Encore plus de jeux pour bébé et papa !

S'il est vrai qu'au cours des premiers mois, manger et dormir sont leurs activités principales, les bébés établissent, semaine après semaine, davantage de contacts avec leur entourage. A la fin du troisième mois, ils reconnaissent les gens qui les caressent et qui leur donnent à manger. Ils regardent, rient, poussent de petits cris, réagissent avec les bras et les jambes, et apprécient l'attention qu'on leur porte.

A côté du « classique » jeu de cache-cache, auquel votre enfant aura toujours beaucoup de plaisir à jouer, vous découvrirez ici plein d'autres idées de jeux. Vous remarquerez que votre enfant réagit de mieux en mieux.

Football

Garçon ou fille, amateur ou non de football, tous les bébés sont fous de ce qui est rond et rouge. Offrez-lui donc sans hésiter un petit ballon. Agitez-le lentement dans son champ de vision, d'une main à l'autre. Vous verrez qu'il suivra d'abord la balle des yeux mais que, très vite, toute sa tête accompagnera le mouvement !

CONSEIL | Dessinez au marqueur un petit visage sur la balle, ou sur un ballon gonflable que vous accrochez à son lit. N'oubliez pas de dessiner les yeux, parce que c'est la première chose que votre bébé va regarder.

Hip-hop et house

Mettez de la musique et dansez avec votre bébé dans la chambre. Un tango, un rap ou une danse que vous avez inventée vous-même. Veillez à ce que la musique n'aille pas trop fort. Adaptez votre tempo en fonction de sa réaction. Variez la cadence car, si c'est amusant de swinguer, il faut éviter de sauter en l'air ou de le secouer violemment.

Après ce bon moment de détente, laissez votre bébé reprendre son souffle (et reprenez le vôtre, parce que vous verrez que ce n'est pas de tout repos !) puis câlinez-le.

Faites-lui chaque jour un gros câlin !

Le sommet de la douceur

La douche ou le bain représentent, pour beaucoup de pères et de bébés, le sommet de la douceur, surtout s'ils le prennent ensemble. On ferme la porte, on décroche le téléphone, on met de la bonne musique et on se glisse sous le jet d'eau chaude.

Tenez votre enfant contre votre poitrine, où il se sent le plus en sécurité. Certains bébés sont quelque peu effrayés au début par ce grand jet d'eau. Expliquez-lui donc en douceur ce qui va se passer et évitez les mouvements brusques. Veillez constamment à la bonne température de l'eau, qui ne doit être ni trop chaude ni trop froide. Préparez une serviette-éponge chaude quand vous sortez du bain ou de la douche, parce que son petit corps se refroidit très vite.

CONSEIL | *Achetez-lui une petite piscine gonflable pour le jardin. Votre enfant s'y amusera comme un fou en été.*

Chanson en papou

Les bébés sont souvent très sensibles aux humeurs, parce qu'ils ne font pas encore la distinction entre vos émotions et les leurs. Si vous êtes irrité parce que tout va mal, si vous êtes pressé, votre bébé le sentira et va montrer des signes d'inquiétude et de panique. Parlez-lui, chantez une chanson, cela le consolera et un sourire apparaîtra sur son visage.
La plupart des nouveau-nés sont d'ailleurs friands de petites chansons ! Que ce soit en français, en anglais ou même en papou, votre bébé montrera vite sa préférence pour certains rythmes et certaines mélodies.

Les chatouilles

Chatouillez votre bébé avec une plume sur son ventre, ses mains, ses pieds, son front et ses joues. Il adorera ça ! Arrêtez-vous à temps, avant qu'il ne soit trop excité.

Massez-lui un orteil à la fois et montrez-lui clairement que chaque pied a cinq orteils différents.

Le plus grand, c'est celui-là,
L'orteil au milieu du pied,
Est plus petit que le premier,
Et puis il en reste trois,
Quel beau pied que celui-là !

Coucou !

Les bébés de deux mois adorent jouer à cache-cache. Ne compliquez pas le jeu inutilement, parce qu'il ne comprend pas encore la notion de « se cacher ». Asseyez-vous devant lui et dissimulez votre visage avec les deux mains. Patientez un instant, et enlevez vos mains en criant « Coucou ». Vous verrez l'expression de son visage passer de l'étonnement à un large sourire.

Vous pouvez également jouer au magicien. Mettez un drap sur son visage, attendez un moment, retirez le drap et criez « Eh... Tu es là ! ». Regardez bien sa réaction.

Emmenez votre enfant faire les courses avec vous.

La souris

Connaissez-vous le jeu de la souris (ou de la petite bête) ? Succès garanti, surtout si vous promenez vos doigts chauds (ses pattes) sur le petit corps dénudé de votre bébé.
« Marchez », d'abord lentement puis de plus en plus vite, en remontant de son ventre vers son cou.
Fredonnez aussi une petite chanson :

Une souris verte
Qui courait dans l'herbe
Je l'attrape par la queue
Je la montre à ces messieurs
Ces messieurs me disent
Trempez-la dans l'huile
Trempez-la dans l'eau
Ça deviendra un escargot tout chaud

Il y a diverses possibilités. Suivez par exemple la route sinueuse qui passe par les orteils, les genoux, les jambes et le ventre pour arriver au cou. Prenez aussi le chemin qui se termine par les oreilles. Essayez également en sens inverse, en terminant par l'intérieur de ses mains. Regardez où votre enfant éprouve le plus de plaisir et citez les parties du corps où vous passez. Votre enfant aura une meilleure connaissance de son anatomie.

CONSEIL *Votre bébé sera certainement ravi de voir à quoi ressemble la souris de la chanson. Achetez une peluche (verte de préférence), fabriquez-la avec du tissu ou découpez-la dans une revue. Pourquoi ne pas la coller au-dessus de son coussin à langer ?*

En promenade

La chaleur du soleil, le craquement des feuilles d'automne, la lumière d'une bougie, les lunettes de grand-mère, la moustache de grand-père, les poils du chat, les aboiements du chien, les gouttes de pluie et les flocons de neige, tout est nouveau pour un bébé. Au début, il n'y comprendra rien du tout mais, petit à petit, il commencera à y voir plus clair.

Aidez-le en désignant et en citant le nom des objets qui l'entourent. Passez sa petite main le long de la fourrure du chat et expliquez-lui ce qu'il sent. Soulevez-le pour qu'il entende lui-même le bruissement des feuilles en automne. Partez en promenade et montrez-lui la différence entre le soleil, la pluie et le vent.

Ce que les papas ne peuvent pas faire

On exige beaucoup de choses des papas : ils doivent porter les enfants quels que soient leur poids et leur taille, réussir à réparer les jouets cassés, chasser les monstres de sous le lit...

Mais vous devez aussi savoir ce que, en tant que papa, il ne faut absolument jamais faire. Certaines choses sont évidentes : ne réprimez jamais votre enfant qui a du chagrin en lui disant « qu'il est trop grand pour pleurer », par exemple. Dites-lui plutôt « Je sais que tu es triste / que tu as peur. Viens près de papa ». Les enfants peuvent également beaucoup apprendre de vous : les papas ont parfois peur, pleurent ou commettent des erreurs. Il n'est pas nécessaire de toujours vous montrer dur, inflexible ou courageux.

Evitez de décevoir constamment ses attentes. Si votre fils ou votre fille est un peu plus âgé, il n'appréciera pas que vous n'alliez jamais le voir lors d'un événement sportif ou à la fête de l'école. De même, vous estimez peut-être que votre apparence n'a pas d'importance, mais votre ado, sensible à la mode, vous en voudra si vous venez tout dépenaillé le chercher à l'école...

Réfléchissez-y : les papas sont censés savoir faire beaucoup de choses, mais ils doivent également laisser certaines mauvaises réactions de côté.

Promettre que vous accompagnerez votre enfant au match ou à la fête de l'école, et ne pas y aller.

✔

Nier l'existence de votre femme et de votre enfant en présence de jolies filles.

✔

Etre plus « gamin » que votre enfant.

✔

Prétendre que vous avez mal au dos quand il veut jouer au « chameau », sauf si c'est vrai, évidemment.

✔

Vouloir jouer seul aux voitures ou aux cubes.

✔

Raconter toujours les mêmes vieilles blagues.

Trouver votre travail plus intéressant que votre enfant.

✔

Essayer de flirter avec l'amie de votre fils.

✔

Regarder davantage l'écran de votre ordinateur que votre enfant.

Oublier l'anniversaire de votre fils ou de votre fille.

Ne jamais vouloir lui donner
la télécommande.

✔

Ecouter attentivement votre patron, mais pas
votre enfant.

✔

Faire semblant d'être allergique aux couches.

✔

Manger seul le paquet de chips.

✔

« Oublier » que votre enfant n'aime pas les
choux quand vous cuisinez.

✔

Faire comme si maman n'était qu'une femme
de ménage et une cuisinière.

✔

Jurer souvent.

Vouloir gagner à tout prix au Monopoly ou
à d'autres jeux de société.

✔

S'endormir lors de la pièce de théâtre
de l'école, dans laquelle joue votre gamin.

✔

Toujours prétendre que les « grands » garçons
ou « grandes » filles ne pleurent pas, au lieu
de consoler votre enfant.

✔

Etre trop paresseux pour jouer au ballon
avec lui.

✔

Acheter de la bière mais oublier le lait.

✔

S'enfuir quand grand-père et grand-mère
viennent à la maison.

Ne pas couper son téléphone portable
pendant le concert de l'école.

✔

Interrompre une histoire passionnante
pour « appeler une relation d'affaires ».

Prétendre que la cuisine et la vaisselle
sont « du travail de femme ».

✔

Se moquer de son enfant quand il a peur.

Porter un survêtement mauve et vert quand vous allez chercher votre grande fille à l'école.

✔

Etre saoul à la fête de l'association des parents d'élèves.

✔

Dire du mal de votre petit en sa présence.

✔

Prétendre qu'il n'a pas assez d'imagination pour inventer une histoire.

✔

Parler trop souvent de l'argent qu'il vous coûte.

✔

Ne pas vouloir faire demi-tour s'il a oublié sa peluche préférée.

Jeter vous-même des détritus dans la rue.

✔

Critiquer constamment la coiffure, les vêtements ou les manières de votre enfant.

✔

Faire des commentaires désobligeants sur les amies de sa maman.

✔

Prendre vous-même les meilleurs morceaux au lieu de les réserver à votre petit.

✔

Approuver derrière le dos de sa maman quelque chose qu'elle venait d'interdire.

✔

Comparer le bulletin de votre fils avec celui du « gosse des voisins, beaucoup plus intelligent ».

3-6 mois

Petits jeux pour bébé et son papa !

Maintenant que ses sens sont complètement développés, votre enfant se montre de plus en plus actif. Il reconnaît les gens, les choses et les événements. Il gazouille, rit, pleure selon qu'il aime ou non ce qu'il fait ou ce qu'il ressent. Il commence à s'intéresser à sa propre image dans le miroir et aux réactions qu'il provoque.

Au cours de ces trois mois, les bébés découvrent leurs mains et leurs pieds. Ils les regardent, les mordillent, les suçotent et jouent sans cesse avec ces si précieux amis. Après les avoir minutieusement examinés, les bébés comprennent comment les utiliser à bon escient. A cinq mois, un bébé peut attraper à peu près tout ce qui se trouve à sa portée et sa première réaction est de le mettre à la bouche.

Les sons qu'il émet deviennent plus longs et plus complexes. Bien que les bébés de trois mois puissent produire les mêmes sons que les adultes, il leur faut du temps avant d'imiter un son de manière convaincante. Ce n'est pas simple du tout, car ils doivent tout recréer eux-mêmes.

La voix de papa

Si un bébé a une bonne ouïe, il apprend vite à distinguer les sons. Il entend la différence entre le carillon de la porte d'entrée, un roulement de tambour et la sonnerie du téléphone, et il y réagit différemment. La voix de son papa ou de sa maman résonne comme une douce musique à ses oreilles. Racontez-lui une histoire passionnante. Variez les intonations, utilisez alternativement des sons gutturaux et doux, et étudiez ses réactions. Est-il étonné que son papa prenne soudain une grosse voix ? Enregistrez une cassette avec des petites histoires que vous lisez ou que vous inventez, et passez la bande quand vous le mettez au lit. Tout en somnolant, il reconnaîtra votre voix et il saura que son papa pense à lui.

Bon à savoir

Si vous restez souvent tard au bureau, ce genre de cassette est un excellent moyen de ne pas perdre le contact avec votre enfant. Cependant, rien au monde ne remplace votre vraie voix. Ce qu'il préfère, c'est quand vous le bordez et qu'il vous entend « en direct ».

Les vibrations

Répondez à votre bébé quand il bavarde. Cela l'encourage à continuer. Mettez ses doigts sur vos lèvres pour qu'il sente comment différents sons, comme brrr et pfff, passent par la bouche et la font vibrer. Plus vous parlez à votre bébé, plus vite et mieux il vous répondra.

Jouer tout seul

Votre bébé adore attraper les objets et les jouets. Installez un mobile dans son parc ou au-dessus de son lit. Veillez à ce qu'il puisse le toucher et le voir facilement. Ce genre de jouet éducatif, constitué de toutes sortes de formes aux couleurs vives, est idéal pour occuper un bébé quand son papa a beaucoup de travail.

Dans un autre ordre d'idée, les mobiles sonores sont également très recommandés. Parfaits pour apprendre les sons, ils sont aussi très colorés et attirent l'attention des tout-petits. Fabriquez ou achetez un mobile constitué de bâtonnets de métal colorés et suspendez-le à proximité de la porte ou de la fenêtre de sa chambre. Dès qu'on entre, le mobile se met de lui-même en mouvement. Soulevez votre bébé afin qu'il puisse toucher les bâtonnets et découvrir ainsi que c'est avec ses propres doigts qu'il provoque le son.

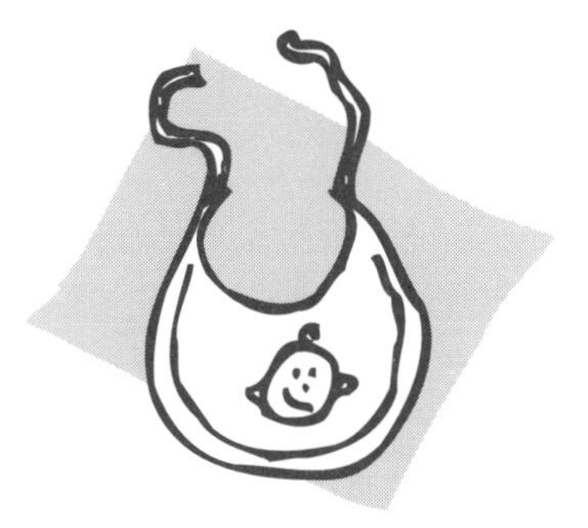

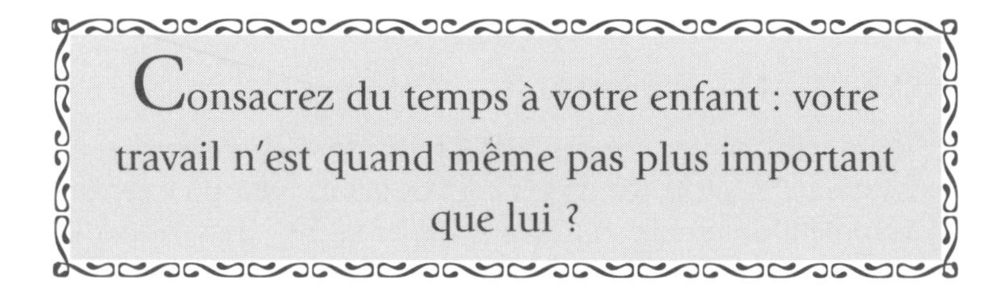

A l'envers

Rien de tel qu'un porte-bébé pour transporter votre bout de chou. Sachez cependant que votre bébé doit être placé très près de votre corps, pour éviter que sa colonne vertébrale ne soit courbée.

Beaucoup de papas aiment porter leur enfant de cette manière. On en trouve de toutes les sortes et de toutes les dimensions, avec ou sans appui-tête. Tâchez de savoir au préalable ce dont votre enfant a besoin. S'il est déjà alerte et curieux, il va rapidement se lasser de compter les boutons sur votre chemise et il aura tendance à tourner la tête de tous les côtés.

Mettez-le donc à l'envers dans le porte-bébé : son dos est soutenu, et l'arrière de sa tête repose contre la poitrine de papa. Il peut ainsi se retourner et regarder facilement. Si votre bébé est vite effrayé, mal assuré, pas encore assez costaud ou s'il est tout simplement fatigué, portez-le le visage contre votre poitrine. Le monde autour de lui est en mouvement, mais votre rythme cardiaque berce ses oreilles, et cela l'apaise.

Tout nu

Mettez votre bébé tout nu dans une chambre à bonne température, et regardez ce qu'il fait avec ses bras et ses jambes : il va se mettre à bouger dans tous les sens, à tourner sur lui-même et à frapper un peu partout. C'est un très bon exercice pour les muscles.
Au bout d'un moment, interrompez-le pour jouer avec lui au jeu de la lune. Les bébés en sont fous car ils en comprennent très vite les « règles ». Ne jouez pas trop longtemps, parce qu'ils s'épuisent vite de leurs efforts.

La lune est ronde, la lune est ronde
(dessinez deux fois le même cercle sur le ventre de votre bébé)
Elle a deux yeux
(dessinez deux yeux imaginaires)
un nez
(dessinez un nez)
et une... BOUCHE !
(faites un baiser sur son ventre)

CONSEIL Quand ils sont tout nus, les bébés expérimentent toutes sortes de mouvements avec les bras et les jambes. En été, mettez votre enfant le plus souvent possible en costume d'Adam (ou d'Eve) dans le jardin. N'oubliez pas de l'enduire au préalable de crème solaire.

Roulé-boulé

Etendez une couverture sur la pelouse ou sur le sol de sa chambre et déposez votre bébé à plat ventre d'un côté de la couverture. Soulevez lentement celle-ci, pour que votre enfant roule sur le dos. Votre enfant sera surpris.
Si vous remarquez la peur dans ses yeux, mieux vaut ne pas insister. Si vous voyez qu'il aime ça, récompensez ses tentatives par un gros câlin !

Activités du samedi matin

Le week-end a commencé, il est donc temps de faire un peu de sport.

Asseyez-vous sur le lit, un coussin dans le dos, et levez les genoux. Mettez votre bébé sur le dos, contre vos genoux, avec ses jambes qui passent de chaque côté de votre taille. Attrapez ses mains et dites :

Un petit garçon rame sur la mer
(bougez doucement les jambes)
mais le bateau n'avance guère
(étendez ses bras sur le côté)
il rame à gauche et à droite
(soulevez alternativement son bras gauche et son bras droit, faites de « vrais » mouvements de rame)
contre de grandes vagues qui éclatent
(faites beaucoup de mouvements de jambes)
et alors... youpi !
(les deux bras en l'air)
Au loin, il voit son ami !
(laissez tomber vos jambes et embrassez son petit ventre)

P.-S. Les petites filles adorent aussi ramer avec leur papa !

Trousseaux de clefs

Les fabricants de jouets ont étudié les préférences des bébés et ont développé des hochets multicolores et des trousseaux de clefs pour bébés. Ces jouets combinent plusieurs critères qui attirent les bébés : les sons, les couleurs et la simplicité des formes.

CONSEIL *Vu que votre bébé s'intéresse à ses nouvelles clefs, gare aux vôtres ! Suçoter celles de la porte d'entrée ou de la voiture n'est pas très bon pour sa santé.*

Mais les papas sont également très créatifs. Que pensez-vous d'un bâton de pluie ? Prenez deux boîtes allongées, une grande et une petite. Remplissez-les de grains de riz et refermez-les bien. Vous avez donc deux fantastiques bâtons de pluie. Donnez le petit à votre bébé et montrez-lui l'exemple en inclinant le grand bâton de manière à ce que les grains de riz s'écoulent et fassent du bruit. Dansez et sautez en rond avec le bâton de pluie. Il va adorer ça.

Vol

Les bébés adorent voler. Pas dans un Boeing, un hélicoptère ni un planeur, mais avec papa comme moteur. Si l'avion émet en outre des tas de bruits, c'est encore mieux !

Les bébés se classent en deux catégories : ceux qui ont le vertige et les autres. Les premiers vous regardent avec angoisse si vous les soulevez plus haut que la normale. Et les seconds sont apparemment destinés à devenir pilotes de chasse ou astronautes. Pour eux, rien n'est trop haut ni trop grand.

Soulevez votre bébé au-dessus de votre tête et effectuez d'abord de lents mouvements de vol. Parlez-lui, dites-lui la destination de votre voyage ensemble : chez sa grand-mère à Paris, sur la lune, à New York, etc. Si vous voyez qu'il aime ça, tentez un plongeon entre les gratte-ciel, une chute libre, ou passez à un appareil plus grand et plus rapide.

S'il montre des signes d'inquiétude, atterrissez et réessayez un autre jour. Il est très important que votre bébé garde confiance et continue à s'amuser pendant le jeu.

Conseils d'éducation pour les papas

Beaucoup d'ouvrages ont été écrits sur l'éducation. Si vous vous sentez en proie au doute, si vous avez besoin de conseils, vous trouverez ici un tas d'informations précieuses.

Un sujet comme « l'éducation » évolue constamment. Bien souvent, des opinions en vogue il y a quelques années sont revues et corrigées avec le temps. Pensez à cette période où l'on prônait « l'éducation anti-autoritaire » : les enfants ne devaient absolument pas être « entravés » dans leur liberté et leur créativité. Bref, un total manque de structure et de règles, qui ne fut à long terme viable ni pour les parents ni pour les enfants.

A contrario, l'époque « ce que dit papa est la loi » est également révolue, et c'est tant mieux. La plupart des gens aujourd'hui essaient d'éduquer leur enfant en respectant sa personnalité, et en accord avec l'autre parent. Vous apprenez à votre fils ou à votre fille quelles sont les limites et les règles à respecter.

Vous trouverez ici de nombreuses recommandations, où le bien-être de votre enfant est la priorité. Tant que vous gardez cela à l'esprit, vous ne pouvez pas vous tromper.

La patience est une des plus grandes vertus d'un père.

✔

Ne gâtez pas votre enfant avec trop de bonbons et de sucreries.

✔

N'utilisez pas de violence physique contre lui. Naturellement, une petite tape sur les fesses n'a rien à voir avec une méchante raclée.

✔

Si votre enfant va passer la nuit ailleurs, préparez-lui soigneusement ses petites affaires, qu'il ne manque de rien.

✔

Interdisez-lui formellement de jouer avec le feu.

✔

Ne vous fâchez pas s'il a fait pipi au lit. C'est souvent un signe que quelque chose ne va pas : peut-être est-il effrayé ou mal à l'aise…

Il est important pour l'enfant que vous entreteniez de bonnes relations avec ses grands-parents.

✔

Laissez-lui le temps de se réveiller tranquillement le matin.

✔

Ne prenez jamais votre enfant comme « allié » lors d'une querelle avec l'autre parent.

✔

Tenez vos promesses. Si cela n'est pas toujours possible, en cas d'imprévu, expliquez-lui pourquoi vous n'avez pu tenir cette promesse et prenez de nouveaux engagements.

✔

Expliquez-lui qu'il ne doit pas toujours agir selon la loi du moindre effort.

Veillez à ce que votre enfant ne devienne pas matérialiste.

✔

Vous pouvez filmer un match où joue votre enfant, ou un autre événement, et le regarder plus tard comme un « reportage ».

✔

Apprenez-lui que l'amitié est une des choses les plus importantes dans la vie.

✔

Discutez avec votre femme de ce qui se peut et ne se peut pas, de manière à ne pas autoriser ce qu'elle vient de lui interdire.

✔

Si votre enfant ne veut pas que ses amis jouent avec son jouet préféré, autorisez-le à le cacher avant que les copains n'arrivent. Il ne rechignera dès lors pas à partager ses autres jouets.

Apprenez-lui à respecter les livres.

✔

Apprenez-lui qu'il ne doit juger personne sur l'apparence.

✔

Donnez le bon exemple – ne soyez pas une bête de travail.

✔

Si la famille s'agrandit, accordez à votre aîné énormément d'attention au moment de la naissance de son petit frère ou de sa petite sœur. Il aura besoin de ne pas se sentir délaissé.

✔

Expliquez-lui clairement que les chaussettes sales doivent être mises dans le panier à linge sale, et pas sous son lit.

✔

Apprenez-lui à ne pas être capricieux.

Si votre enfant est timide, aidez-le, par exemple, en restant près de lui. Ne lui dites surtout pas « de s'affirmer », de ne « pas être aussi effacé », parce que ça ne l'aidera pas, bien au contraire.

✔

Laissez-lui exprimer sa propre opinion. Ne vous fâchez donc pas s'il n'a pas le même avis que vous.

✔

Expliquez-lui clairement que vous voulez qu'il fasse des efforts pour avoir de bons résultats à l'école.

✔

Répondez honnêtement à ses questions sur la sexualité et donnez-lui toutes les informations nécessaires.

✔

Ne vous laissez pas abuser par les crises de colère et les caprices de votre enfant.

Laissez votre adolescent choisir ses propres vêtements, mais ne tolérez pas qu'il les néglige.

✔

Interdisez formellement à votre adolescent de rentrer en voiture avec des amis qui ont bu. Proposez-lui de les reconduire et donnez-lui toujours de l'argent supplémentaire pour prendre un taxi.

✔

Stimulez la fantaisie de votre enfant.

Encouragez votre enfant à trouver un travail de vacances. Expliquez à votre adolescent ce que « travailler » suppose.

✔

Apprenez-lui à refuser la drogue et l'alcool. Expliquez-lui les dangers et soutenez-le s'il est confronté à ces problèmes.

✔

Un enfant un peu plus âgé n'aime souvent pas tellement être cajolé en public par son père/sa mère. Respectez-le.

✔

Racontez-lui des histoires sur votre propre jeunesse. La plupart des enfants en sont très friands.

✔

N'entrez pas en trombe dans sa chambre s'il a invité un copain/une copine.

3-6 mois

Encore plus de jeux pour bébé et papa !

Votre bébé adore jouer avec vous, surtout s'il reconnaît le jeu et qu'il sait précisément à quoi s'attendre. Maintenez le stress du jeu quelques instants puis relâchez la tension et souriez. La frontière entre le sourire et les pleurs est ténue. Après un effort trop intense, il n'est pas rare de voir un petit enfant éclater en sanglots. Ne vous lancez donc pas dans une activité trop excitante s'il doit aller dormir peu de temps après. Vous n'obtiendrez pas grand-chose d'un bébé fatigué !

La gamme de communication de votre bébé s'élargit durant cette période. Il est capable d'exprimer quand il éprouve du plaisir et qu'il veut rejouer avec vous à tel ou tel jeu. Votre bébé prend également conscience que vous êtes bien plus intéressant qu'un jouet, parce que vous prenez l'initiative et que vous organisez des activités pour lui.

Jeux de miroir

Un jour de grand soleil, prenez votre bébé sur les genoux et montrez-lui le jeu du miroir. Prenez un petit miroir pour capter les rayons du soleil. Projetez-les ensuite vers différents endroits de la chambre. Vous verrez votre bébé suivre ces reflets avec des yeux étonnés.

Miroir, miroir, gentil miroir,
qui est le plus beau bébé du pays ?

Asseyez votre bébé devant le miroir et parlez à son reflet. Il ne se reconnaîtra pas encore, mais il trouvera ce petit jeu très intéressant. Approchez-vous lentement de la glace et regardez comment votre enfant réagit. Tend-il les bras pour attraper son nouvel ami ? Si vous l'approchez encore, il ouvrira la bouche pour embrasser et suçoter le nez et le menton de son image dans le miroir.

TEEEEEEEELLEMENT grand

Votre bébé peut aussi être un géant comme son papa. Asseyez-le sur les genoux de sa maman et tenez-lui les mains. Demandez-lui : « C'est grand comment... ? ». Mettez ses bras au-dessus de sa tête et dites : « Comme çaaaaaa ! ». Au bout d'un moment, votre bébé n'aura plus besoin de votre aide et lancera lui-même ses petits bras en l'air.

Les favoris

« Cache-cache » reste un des favoris dans la longue liste des jeux préférés des bébés et des papas. Nous avons déjà évoqué le jeu qui consiste à vous cacher derrière vos mains, mais vous pouvez aller plus loin et cacher votre corps tout entier. Asseyez votre enfant dans une chaise de bébé et cachez-vous derrière celle-ci.

Livres en tissu

Les petits livres en tissu sont des cadeaux idéaux pour les bébés de moins d'un an. Ils ont des couleurs et des illustrations claires, peu de « pages », un tissu doux et ils sentent bon. Ils sont donc parfaits pour l'usage que les bébés en feront : les mettre à la bouche, les suçoter et les câliner.

Un jour au Caire
un dromadaire
entra chez un libraire
et prit une grammaire.
C'est pas vrai, ça fait rien,
ça sera vrai demain.

Choisissez un moment calme pour lire ensemble. Montrez-lui une image et expliquez-lui ce que vous voyez. Certains bébés sont fascinés par une image spécifique et ne veulent plus que vous tourniez la page. Ne le forcez pas, laissez-le aller à son rythme.

Bon à savoir

Faites une nouvelle fois le jeu avec le drap (voir p. 39 « Coucou ! ») et vous constaterez l'évolution par rapport aux premiers mois. Au lieu d'attendre que vous enleviez le drap, votre bébé essayera de le retirer lui-même.

Si ça ne marche pas

Il arrive parfois qu'un petit enfant ne veuille pas rester sage. Il est fatigué, impatient ou il n'a pas envie de lire avec vous. Il vous arrache le livre des mains et le jette au sol. Ce n'est pas grave. Demain est un autre jour...

Leçon d'anatomie

Quel que soit leur âge, les bébés adorent prendre leur bain avec papa ! Et c'est une expérience unique pour les papas.

Maintenant qu'il a grandi, votre bébé y est de plus en plus à l'aise et peut faire un tas d'expériences dans l'eau. Maintenez celle-ci à la bonne température. Laissez le robinet couler goutte à goutte et montrez à votre bébé que le jet est interrompu quand il passe sa main dessous.
Autres expériences : pressez une éponge, faites naviguer un bateau, renversez un gobelet plein ou frappez l'eau avec le plat de la main. Veillez à ne pas mettre trop de petits objets dans la baignoire. Plus il y a de jouets, plus il aura de difficultés à en choisir un, et moins il jouera.

CONSEIL | *Sortez d'abord votre bébé du bain avant de vider celui-ci. Les bébés n'apprécient pas que l'eau s'écoule. Certains ont même peur d'être aspirés par le trou...*

Un acrobate en herbe

Si votre bébé, couché sur le ventre, arrive à relever la tête et à s'appuyer sur les mains, il est bientôt prêt à se tenir debout. Certains sont de vrais acrobates : tête en l'air, fesses par terre, tête en bas, fesses en l'air et on se balance. Attention : si votre bébé est curieux de nature, il voudra explorer les abords de la table à langer et risque alors de mettre sa sécurité en danger. Ne le laissez JAMAIS seul !

Ses jambes deviennent de plus en plus fortes et le « papa-trampoline » est un de ses jeux favoris. Asseyez votre bébé sur vos genoux, le visage tourné vers vous, et veillez à ce qu'il puisse s'accrocher quelque part. Tenez-le délicatement sous les bras. Dès qu'il a suffisamment confiance en lui, il va plier ses genoux et se balancer d'avant en arrière, convaincu que vous êtes le meilleur trampoline du monde.

Les cymbales

Il n'est jamais trop tôt pour donner à votre enfant le goût de la musique. Il est cependant préférable que cette première leçon se déroule en l'absence de maman.
Donnez à votre bébé deux couvercles de casserole et montrez-lui comment vous les frappez l'un contre l'autre. Attention : des cymbales, ça fait du bruit !

Le clou du spectacle

Faites régulièrement des séances d'applaudissement avec votre enfant, il apprendra ainsi que les mains ne sont pas seulement faites pour attraper les objets, mais aussi pour produire des sons. Quand il fait quelque chose de nouveau ou qu'il progresse dans une aptitude, applaudissez-le. Il associera bien vite l'applaudissement à une récompense. Vous serez aussi surpris de le voir s'applaudir lui-même quand il est content de lui.

Asseyez-vous devant lui et montrez-lui comment taper dans les mains. Aidez-le à vous imiter, et chantez...

Si tu as de la joie au cœur, tape des mains
(tapez deux fois)
Si tu as de la joie au cœur, tape des mains
(tapez deux fois)
Si tu as de la joie au cœur,
Si tu as de la joie au cœur,
Si tu as de la joie au cœur
Tape des mains
(tapez deux fois)

Bon à savoir

Peut-être vous lasserez-vous assez vite de ces petites chansons. N'oubliez cependant pas que les bébés peuvent jouer sans fin aux mêmes jeux et écouter cinquante fois la même chanson. C'est si gai de jouer avec papa !

Leçon d'équilibre

Couchez votre bébé sur le ventre par terre et asseyez-vous en face de lui. Roulez une balle vers lui. Pour la toucher, il devra lever une main ! Faites ensuite la même chose de l'autre côté.

Asseyez-vous derrière lui et faites rouler la balle vers l'avant. Il va essayer de tourner la tête mais ce n'est pas si simple ! Essayez aussi de l'autre côté.

Bonjouuuuuur !

Asseyez votre bébé sur une balançoire pour bébés et poussez-le. Agitez la main vers lui et dites « Au revoir ! » quand il s'éloigne et « Bonjour » quand il revient. De cette manière, il apprend à distinguer ces mots très importants.

Jeux de ballon

Achetez un ballon de plage gonflable. Plus le ballon est grand et léger, plus votre bébé s'amusera. Avant de partir en vacances sur les plages, testez-le à la maison.

Couchez votre bébé sur le dos et encouragez-le à lancer la balle avec ses pieds. Roulez la balle vers lui, il va essayer de l'attraper. Prenez-le par la taille, mettez-le à plat ventre sur le ballon, faites-le rouler doucement d'avant en arrière, et regardez votre bébé « nager ».

Tu tires la tête ?

Comment les bébés savent-ils si quelqu'un est content, fâché, triste ou déçu ? Tout simplement parce qu'ils l'ont appris auprès de leurs parents. Cela se passe inconsciemment mais, au bout d'un moment, votre bébé va saisir les nuances, principalement au niveau de votre visage et de votre voix.

Plissez le front, froncez les sourcils, pincez les lèvres, tirez-vous les oreilles, fermez les yeux, toussez, faites un clin d'œil, gonflez vos joues, etc. Affichez un visage triste, joyeux, fâché ou sans expression, et regardez comment votre bébé réagit. Votre bébé sera déconcerté s'il vous voit tirer la tête, et soulagé s'il vous voit redevenir joyeux.

Bon à savoir

Que vous le vouliez ou non, votre bébé vous tirera certainement la langue. Faire des grimaces, il adore ça. Vous pouvez bien sûr le devancer !

Idées pour être un papa extraordinaire

Dans ce chapitre, vous trouverez plusieurs conseils pour renforcer le lien entre vous et votre enfant. Bien entendu, certains vous paraîtront évidents parce que vous les appliquez déjà, mais certaines suggestions vous interpelleront parce que vous n'y aviez pas pensé.

La plupart des idées sont simples : pour les appliquer, il ne vous faut aucun talent ou matériel particulier. Un peu de sens pratique et de créativité sont évidemment toujours les bienvenus. Votre enfant va, par exemple, adorer si vous bricolez quelque chose pour lui, ou si vous lui fabriquez un jouet.

Mais, comme il est dit plus haut, le plus important est que vous lui consacriez du temps et de l'attention. Il aime que vous lui lisiez une histoire, il aime travailler avec vous dans le jardin, si vous inventez un jeu à faire ensemble, etc.

Dans tous les cas : ce n'est pas difficile, vous pouvez tous être des papas extraordinaires !

Si vous travaillez au jardin, laissez votre enfant vous aider. Les enfants adorent jouer avec la boue.

✔

S'il est tombé, soignez ses blessures, puis donnez-lui un bonbon ou câlinez-le pour le consoler.

✔

Si son animal préféré est mort, aidez-le à l'enterrer.

✔

Faites ensemble un grand puzzle.

✔

Prenez-le en photo lors de son premier jour d'école.

✔

Allez ensemble au terrain de jeux et poussez-le sur la balançoire.

Essayez de donner à votre gamin le sens de la beauté. Vous pouvez par exemple lui montrer des œuvres d'art et réaliser ensuite un « chef-d'œuvre » ensemble à la peinture à l'eau.

✔

Donnez-lui une feuille de papier pour dessiner dessus.

Allez ensemble visiter un aéroport. Les petits enfants raffolent des grandes machines.

S'il a des difficultés avec l'orthographe, aidez-le en jouant souvent au Scrabble avec lui.

✔

Vous pouvez fabriquer vous-même des marionnettes. Les enfants les adorent, et c'est tout simple à faire avec des balles de ping-pong.

✔

Dansez ensemble sur votre musique préférée : laissez-le grimper sur vos pieds, il adore ça !

✔

Si vous peignez une porte avec de la peinture noire, vos enfants pourront dessiner dessus.

✔

Si votre enfant veut jouer avec de la pâte à modeler ou de la peinture, donnez-lui un de vos vieux pulls comme tablier.

Si vous préparez de la glace vous-même, elle vous semblera meilleure que celle du magasin.

✔

Fabriquez une cabane secrète en suspendant une couverture ou un drap sur une table.

✔

Offrez-lui une « médaille » (en carton, par exemple) quand il a fait quelque chose de remarquable.

✔

Conservez de vieux vêtements à vous (par exemple, votre ancien uniforme militaire !) comme matériel de déguisement.

✔

Parlez-lui de vos passe-temps favoris, racontez-lui votre travail et essayez de l'y emmener le plus souvent possible.

✔

Faites une partie de Monopoly en famille.

Mettez quelques bonbons dans un panier et partez pique-niquer ensemble.

✔

Plantez ensemble un arbre pour une occasion bien particulière, par exemple quand il commence l'école primaire.

Apprenez-lui comment faire de petites tâches ménagères et avertissez-le des dangers.

Votre enfant adore maintenir certaines traditions : acheter et décorer ensemble le sapin de Noël, faire des blagues pour le premier avril, etc.

✔

Si vous avez un jardin, laissez votre enfant cultiver des fruits ou des légumes. Il sera fier de son petit potager.

✔

Si vous logez à l'hôtel, ramenez les petits savons et les divers cadeaux et offrez-les-lui en souvenir.

✔

Apprenez à votre enfant à cadenasser son vélo et à contrôler si les lumières fonctionnent correctement.

✔

Louez le film préféré de votre enfant à la vidéothèque.

Préparez avec votre enfant un petit déjeuner spécial week-end.

✔

Faites de l'anniversaire de votre enfant un jour extraordinaire.

✔

Votre enfant appréciera d'avoir son propre abonnement à un magazine pour enfants.

✔

Préparez ensemble des gâteaux pour une fête.

✔

Les enfants adorent aider à laver la voiture.

✔

Il sera tout fier de « monter à cheval » sur son papa.

6-9 mois

Petits jeux pour bébé et son papa !

Votre bébé examine de plus en plus son entourage. Il se redresse de mieux en mieux et regarde donc autour de lui d'un tout autre point de vue. Il se déplace différemment et adore quand son papa le prend dans ses bras et le fait sauter. Son monde se met en mouvement.

Sa nouvelle mobilité et son habileté grandissante lui simplifient la vie car il parvient à attraper des objets plus intéressants. Il les scrute, les tourne et les retourne, les vide, les cache, les sort de nulle part en souriant, et se les passe d'une main à l'autre. Il les met à la bouche pour voir s'ils sont durs, mous, rugueux, lisses, chauds ou froids... Il examine absolument tout. Vous devez donc impérativement rendre son entourage accueillant, sécurisant et surtout sans danger.

Question d'équilibre

Couchez votre bébé à terre sur le dos et tendez vos mains vers lui. Il va immédiatement les attraper et les utiliser comme levier pour se redresser. C'est un très bon exercice pour ses muscles.

L'envie de s'asseoir est née. Néanmoins, cela durera encore un moment avant que votre bébé puisse le faire de manière autonome. Restez dans les parages parce que, sans la forte main de son papa, il perd vite son équilibre car sa tête, plus lourde, l'attire vers le sol.

Mettez quelques coussins dans le dos de votre bébé et déposez un jouet devant lui. Pour l'attraper, il va se pencher vers l'avant, tout en essayant de garder son équilibre.

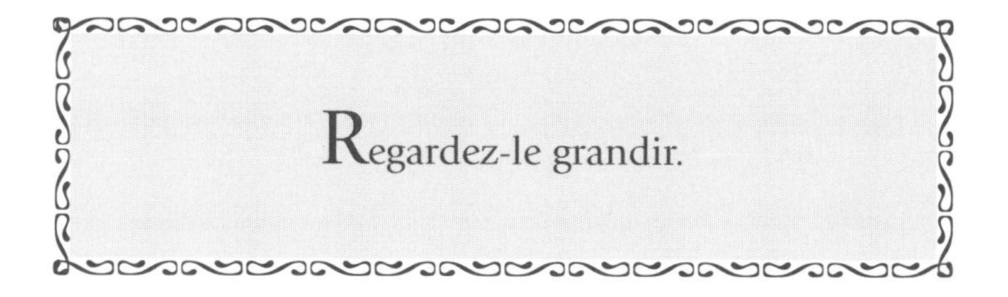

Regardez-le grandir.

Bonne nuit nounours !

Les câlins consolent. Ils réconfortent, rassurent et ils sentent bon la famille. Ce sentiment de protection vaut aussi pour le petit rituel avant d'aller au lit. Promenez-vous un moment avec votre enfant dans sa chambre et citez-lui les choses que vous voyez : la lune, les personnages sur le rideau et les oursons sur les murs. Laissez-lui toucher les oreilles et le visage de ses peluches et leur dire au revoir. Bordez-le et embrassez-le tendrement. Si vous répétez le même rituel tous les soirs, il aura moins peur dans le noir.

Les bébés aiment la régularité. Les papas qui se sont beaucoup occupés de leur bébé remarqueront qu'il déteste le changement. Il doit s'habituer à vos nouvelles lunettes et il est triste quand vous mettez votre manteau et que vous quittez sa chambre. Votre enfant commence à devenir farouche et possessif.

On bouge !

Bébé aime le mouvement. Les petits trajets, bien tenu par papa ou par maman, renforcent ses muscles et développent aussi son sens de l'équilibre.
Vive le jeu du cheval et de l'éléphant avec papa !

1. Jeu du cheval

Mettez votre bébé sur vos genoux, le visage tourné vers vous. Tenez-le sous les aisselles et faites monter et descendre vos jambes en rythme :

Hue Da Da,
Sur le cheval de Papa
(bougez lentement et en rythme)
Qui a tant mangé du blé,
Que son nez est tout... PELE !
(Faites-le tomber entre vos genoux écartés en le retenant par les aisselles)

2. Jeu de l'éléphant

Demandez à maman d'asseoir bébé sur votre dos et de le tenir tandis que vous avancez à quatre pattes. Commencez calmement puis courez de plus en plus vite autour de la chambre. Si votre bébé aime bien, accélérez et variez le rythme autant que possible. Grimpez sur des obstacles et enjambez des barrages.

Les éléphants vont à la foire
Et que vont-ils y voir ?
Un gai babouin qui dans l'air du matin
Peignait ses cheveux de crin
Le singe tomba de son box
Sur la trompe de l'éléphant
L'éléphant fit atchoum et se mit à genoux
Mais qu'advint-il du singe ?

Bon à savoir

Les mouvements de balancier renforcent les muscles du ventre, du dos et des bras de votre bébé. Mais attention, bébé ne doit jamais être lâché, même pas un quart de seconde !

Les trous et les clochettes

Les bébés adorent attraper les cubes de couleurs munis de trous et de clochettes. Pour le petit jeu suivant, vous avez besoin de deux cubes qu'il peut tenir d'une seule main. Montrez-lui un des cubes et regardez avec quelle main il le prend. Pour l'attraper convenablement, il fermera probablement toute sa main autour. Donnez-lui le deuxième et regardez sa réaction. Laisse-t-il tomber le premier cube, le passe-t-il vers son autre main ? S'il choisit la deuxième solution, voici encore un cap important de franchi !

Vous remarquerez bientôt un développement nouveau. Vers sept ou huit mois, votre enfant n'emploie plus toute sa main, mais uniquement le pouce et l'index pour saisir le cube. Il maîtrisera très bientôt les muscles de ses doigts séparément.

Baba

Parlez avec votre enfant de tout et n'importe quoi. Dites-lui qu'une vache est une vache, qu'un cheval est un cheval, etc. Promenez-vous dehors avec lui, montrez-lui le monde. Prononcez bien les mots. Ne vous attendez pas à ce que votre enfant vous réponde tout de suite, mais réagissez aux sons qu'il émet et montrez-lui que vous êtes fier de lui. Rien n'est plus important pour son développement oral qu'une conversation enthousiaste avec son papa.

Le son de sa propre voix se développe rapidement. Il a commencé par des « mots » d'une syllabe comme BAAA, MAM et GU mais votre enfant va dire des mots de deux syllabes identiques comme BABA, MAMAM et GUGU. Le plus agréable est que c'est lui-même qui s'enthousiasme le plus des mots qu'il dit. Après la sieste, écoutez à la porte de sa chambre et vous l'entendrez se raconter des histoires complètes. Si vous vous en mêlez, c'est la fête assurée.

Donner et recevoir

Utilisez régulièrement les mots « voici » et « merci ». Ce sont des mots très courants avec lesquels vous pouvez commencer très tôt. Plutôt que de lui apprendre des formules de politesse, il s'agit de l'aider à distinguer les notions de « donner » et de « recevoir ». Prenez ses poupées et ses oursons pour lui expliquer. Votre enfant vous suivra avec une grande attention.

Livres sonores

Durant cette période, les bébés sont de vrais bruiteurs de cinéma. Les livres sonores les invitent à découvrir quel son correspond à quelle image.

Papa peut évidemment aussi en fabriquer un lui-même. Découpez dans du carton plusieurs carrés de même grandeur et dessinez-y, au gros marqueur, une grande image colorée et clairement reconnaissable. Choisissez des images proches du monde de votre enfant. Faites des trous dans le carton avec une perforatrice et passez un ruban au travers. Montrez-lui les sons que votre enfant imitera de lui-même.

CONSEIL | *Essayez de développer son intérêt pour la musique. Encouragez-le plus tard à apprendre à jouer d'un instrument.*

Jour et nuit

Si vous souffrez d'une crise d'amnésie, et que vous ne savez plus comment allumer ou éteindre la lumière dans la chambre de votre enfant, pas de panique : il peut vous aider. Ses doigts fonctionnent maintenant de manière autonome. Expliquez-lui le rôle de l'interrupteur et de la lampe, pour qu'il comprenne le lien entre la lumière et l'obscurité.

Notion de profondeur

Votre bébé est maintenant conscient que ses mains font partie de lui-même. Il peut faire signe et attraper des choses qu'il met ensuite dans sa bouche. C'est la meilleure école : il apprend tous les jours de nouvelles choses. Si un objet est doux ou dur, rond ou lisse.

Mais tout ne peut pas être mis à la bouche... Que doit-il faire avec cet ourson sur son bavoir ? Il a l'air tellement réel, il pourrait le prendre !
Feuilletez avec votre enfant un livre qu'il ne connaît pas encore, qui n'a pas de figurines en relief, mais des images d'une chambre d'enfant ou d'un jardin avec toutes sortes d'objets familiers. Il va essayer d'attraper ces objets et il sera très étonné de ne pas réussir ! Votre bébé commence à comprendre la notion de profondeur. Il existe donc une différence entre devant et derrière.

Expressions sur les pères

La relation entre un père et son fils ou sa fille n'est pas toujours simple. Quand les enfants sont petits, le papa est souvent le héros, l'homme qui sait tout et qui peut tout faire.

Beaucoup d'enfants attribuent à leur père une sagesse particulière, du courage et de la force. Ils n'hésiteront pas, par exemple, à intimider un camarade de classe qui les ennuie en leur disant : « Arrête ou j'appelle mon père ! » Ils comparent leurs forces respectives : « Je parie que mon père est plus fort que le tien. »

En revanche, les adolescents sont souvent beaucoup plus critiques à l'égard de leur père. Le père symbolise davantage que la mère l'« autorité », à laquelle un ado s'opposera systématiquement. Les pères auront beaucoup de mal à admettre que quoi qu'ils fassent leurs adolescents chéris ne les considéreront pas favorablement.

Consolez-vous parce que ce n'est qu'une phase. Par la suite, vous aurez de nouveau une bonne relation avec votre fils ou votre fille. Les citations que vous trouverez dans ce chapitre parlent des relations entre les pères et leurs enfants. Elles sont parfois sérieuses, parfois sont un clin d'œil.

A quatorze ans, je trouvais mon père
tellement ignorant que j'avais peine à le
souffrir : mais, à vingt et un ans, je fus étonné
de constater tout ce qu'il avait appris dans
l'espace de sept ans.
Mark Twain

✔

Le pire des malheurs qui puisse se produire
pour un homme ordinaire est d'avoir un père
extraordinaire.
Austin O'Malley

✔

Il est toujours difficile pour un père
d'apprécier comme il se doit la valeur des
efforts accomplis par ses enfants.
Groucho Marx

✔

Ce qu'un père peut faire de plus important
pour ses enfants, c'est d'aimer leur mère.
Théodore Hesburgh

Etre père, c'est prétendre que le cadeau qu'on préfère c'est un cendrier en terre cuite.

Bill Cosby

La pire colère d'un père contre son fils est plus tendre que le tendre amour d'un fils pour son père.

Henry de Montherlant

✔

Le secret pour être un bon père est simple : écoutez toujours vos enfants...

Steven Spielberg

L'enfant est le père de l'homme.
William Wordsworth

✔

Qui fait ce que son père n'a pas fait verra ce que son père n'a pas vu.
Proverbe touareg

✔

A quoi sert la vie si les enfants n'en font pas plus que leurs pères ?
Gustave Courbet

✔

Quand un enfant naît, un père naît aussi.
Frederick Buechner

✔

Un père n'est pas celui qui donne la vie, ce serait trop facile, un père c'est celui qui donne l'amour.
Denis Lord

Un vrai homme est son propre père.
Jean Anouilh

C'est peut-être le premier devoir d'un père de retrouver successivement son âme de douze, de quinze, de dix-huit et de vingt-deux ans.
André Giroux

✔

Le temps qu'un homme comprenne que son père avait sans doute raison, il a généralement un fils qui pense qu'il a tort.
Charles Wadsworth

Quand j'étais petit je faisais ce que mon père voulait. Maintenant il faut que je fasse ce que mon fils veut. Mon problème est de savoir quand enfin je pourrai faire ce que je veux !

Sam Levenson

✔

On devient grand le jour où on commence à battre papa au golf. On devient adulte le jour où on le laisse gagner.

Anonyme

✔

Un enfant sans père est semblable à une maison sans toiture.

Proverbe cambodgien

✔

L'exemple, c'est tout ce qu'un père peut faire pour ses enfants.

Thomas Mann

Un bon père de famille doit être partout,
dernier couché premier debout.
Proverbe français

✔

Un père vaut plus qu'une centaine de maîtres d'école.
Herbert

✔

Où donc un enfant dormirait-il avec plus de sécurité que dans la chambre de son père ?
Novalis

✔

Pourquoi les hommes rechignent-ils
à devenir père ?
Parce qu'ils n'ont pas fini d'être des enfants.
Cindy Garner

✔

C'est long à élever, un père.
Christine Latour

N'importe quel homme peut être père. Il faut quelqu'un de spécial pour être papa.
Affiche

✔

Les hommes qui ont combattu dans les guerres les plus sanglantes sont capables de défaillir à la vue d'une couche bien pleine.
Gary D. Christenson

✔

L'hérédité, c'est ce en quoi un homme croit jusqu'à ce que son fils commence à se conduire comme un délinquant.
Presbyterian life

✔

Le rêve du héros, c'est d'être grand partout et petit chez son père.
Victor Hugo

✔

Il n'y a pas de loi plus belle que d'obéir à un père.
Sophocle

6-9 mois

Encore plus de jeux pour bébé et papa !

Entre 6 et 9 mois, votre bébé éprouve un besoin de se sentir en famille. Il se montre de plus en plus réservé envers les étrangers. Il s'accroche à vous, joue au timide et il a peur de vous quitter des yeux. Certains enfants éclatent en sanglots dès qu'ils voient leur maman ou leur papa quitter la pièce. C'est la preuve de ses capacités grandissantes de compréhension et de mémoire : il commence à comprendre ce que cela signifie quand vous le quittez. Vous pouvez être fier de lui. Le visage de son papa lui est devenu très familier !

Vos bavardages commencent à porter leurs fruits. Si vous avez parlé clairement et longuement avec votre bébé au cours des mois précédents, il réagira à certains mots bien déterminés. Aussi bien à son nom qu'à des mots comme « papa », « maman », « biberon » et « manger », qui sonneront à ses oreilles comme une douce musique.

Qu'est-ce que je sens ?

Un nouveau jour, une nouvelle découverte pour votre enfant ! Versez un peu de sable dans sa petite main ouverte. Mettez ensuite une jolie pierre lisse puis une autre, plus rugueuse. Laissez-le sentir la différence entre l'écorce d'un arbre et la surface lisse de votre voiture. Entre l'herbe, le sable, les feuilles, les dalles du trottoir et un vêtement...

Il existe sur le marché des ouvrages « sensitifs », qui stimuleront l'esprit de découverte de votre enfant, mais vous pouvez très bien les fabriquer vous-même.

Prenez un morceau de carton solide que vous divisez en petites cases. Veillez à ce que chacune présente une expérience sensorielle différente. Prenez un gros pot de colle et laissez parler votre imagination. Un morceau de velours, de fourrure, de papier de verre, une poignée de sable, des coquillages ou des grains de riz, etc. Prenez votre enfant sur les genoux et passez ses doigts sur les différentes cases. Montre-t-il une préférence ?

Ramper

Que vous soyez petit ou grand, vous êtes, aux yeux de votre enfant, le plus grand et le plus fort papa au monde. Il adorera vous escalader ou ramper entre vos jambes.

Couchez-vous sur le lit et laissez-le ramper sur les couvertures. Levez les jambes et regardez ce qu'il fait. Va-t-il escalader l'obstacle comme un alpiniste en herbe, ou le contourner comme un aventurier prudent ? Relève-t-il le défi ou se met-il à pleurer ? S'il atteint le sommet de la montagne, récompensez-le par un énorme câlin.

Ramper sous un tunnel, c'est très gai. Mais avant de passer à travers un passage de boîtes en carton, il y a une première expérience nécessaire : réussir l'épreuve du papa-tunnel. Il devra ramper entre vos jambes, ou sous le pont que vous avez construit en vous appuyant sur vos mains et vos genoux.

Cache-cache

Votre bébé a maintenant appris que les objets ne disparaissent pas quand on les recouvre avec un drap. Vérifiez qu'il vous regarde et cachez un jouet sous une couverture. Encouragez-le à chercher. Va-t-il penser à soulever la couverture ?
Mais le plus amusant pour bébé, c'est de chercher son papa. A un moment d'inattention de sa part, cachez-vous derrière un rideau ou une chaise. Vous cherche-t-il ? Réapparaissez en faisant « Coucou ! ».

Bulles magiques

Les bulles de savon ont quelque chose de magique. Il y en a de toutes les tailles, et elles apparaissent simplement grâce à une paille ou un tube. Elles volent dans l'air puis disparaissent et, quand on essaye de les attraper, elles éclatent.

Votre enfant regardera ce spectacle avec une intense admiration et pensera que vous êtes un grand magicien. Soufflez des bulles de toutes les formes et regardez-le profiter des couleurs fantastiques. Soulevez-le pour qu'il essaye de les attraper. S'il réussit à en faire éclater, félicitez-le. Attention : certains bébés ont peur des bulles, parce qu'ils reçoivent parfois du savon dans les yeux quand elles éclatent. Ayez toujours une serviette légèrement mouillée à portée de mains pour nettoyer ses yeux au cas où cela arriverait, ou pour essuyer ses petites mains pleines de savon.

Histoires d'eau

Faites découvrir à votre enfant les joies de la piscine. Pas pour apprendre la natation, mais pour le plaisir d'y batifoler ensemble. Votre enfant s'habituera plus rapidement et aura par la suite moins peur de l'eau.

Faites attention à la température dans la piscine et aux abords de celle-ci : si vous voyez que ses petites lèvres deviennent toutes bleues, il est grand temps de sortir. N'oubliez pas que bébé peut très vite attraper froid.

Tenez bien votre enfant dans l'eau les premières fois pour qu'il s'y habitue. Au bout d'un moment, il se sentira plus à l'aise et prendra lui-même quelques initiatives. Passez-lui des flotteurs aux deux bras et laissez-le éclabousser et s'amuser. Ne le laissez JAMAIS seul. Si un des flotteurs venait à se détacher, votre enfant risquerait de se noyer !

Un petit canard au bord de l'eau
Il est si beau, il est si beau
Un petit canard au bord de l'eau
Il est si beau, qu'il tombe dans l'eau
Plouf dans l'eau
(éclaboussez-le)

Voici plusieurs idées de petits jeux d'eau intéressants :
• Plongez sous l'eau en face de votre enfant et réapparaissez à la surface à un autre endroit.
• Gardez la tête sous l'eau et faites de grosses bulles avec la bouche. Votre bébé va adorer ça et il va probablement essayer de vous imiter !

Bon à savoir

S'il est vrai qu'un nouveau-né peut faire d'authentiques mouvements de natation, il est encore trop jeune pour passer son brevet ! Comme ses frères et sœurs plus âgés, il va devoir apprendre à nager. Ne le forcez pas à apprendre trop vite : au niveau moteur, votre enfant n'est pas encore tout à fait prêt.

Une trace du temps

Les bébés aiment les photos de leurs parents. Quand ils sont plus âgés, ils adorent aussi se regarder dans le miroir. Veillez à toujours avoir votre appareil-photo à portée de mains. Il y a des choses que les enfants ne font qu'une fois et, avant que vous ne vous en rendiez compte, c'est déjà trop tard. Notez dans un petit journal de bord quand, où et ce que vous filmez ou photographiez. Votre enfant évolue si vite que ce n'est pas toujours simple de se souvenir du moment où vous avez pris telle ou telle photo.

Vous pouvez également, à côté des photos de votre bébé, mettre des images qui représentent l'époque et le pays où il grandit. La maison où il est né, sa rue, les voitures de l'époque ou des coupures de journaux, sont des indications complémentaires tout à fait précieuses que votre enfant aura beaucoup de plaisir à regarder bien des années plus tard.

Tu avais sept mois quand on a déménagé. Regarde : c'était notre ancienne maison. Maintenant, il y a ce bâtiment à la place. Ça a bien changé, hein ?

Perspective

Imaginez-vous un instant à la place de votre bébé. Vous êtes tranquillement allongé sur votre lit, après une bonne sieste, et vous voyez soudain apparaître au-dessus de vous une immense tête vaguement familière. C'est tellement déconcertant que vous fondrez probablement en larmes la première fois.

Autre expérience : vous êtes assis sur votre chaise et, soudain, vous remarquez que les objets qui vous entourent sont devenus trois fois plus grands que vous. Si quelqu'un se tient debout devant vous, vous devez tordre le cou pour réussir à voir au-delà de sa taille. Ce chien qui s'approche de vous ressemble à un éléphant. Si c'est celui du voisin, vous reconnaissez au moins son odeur mais, si c'est celui d'un étranger, vous commencerez à paniquer ! Comprenez-vous à présent pourquoi votre enfant n'a pas toujours les réactions positives que vous attendez ?

Combat de chaussettes

Lancez-vous dans un combat de chaussettes avec votre enfant. Asseyez-vous en face de lui. Donnez-lui une extrémité de la chaussette et tirez doucement de l'autre côté. Encouragez-le à tirer. Inutile de vous rappeler de le laisser gagner !
Prenez une écharpe, et recommencez le jeu. Ajoutez des bruitages et exagérez vos mouvements. Quand votre bébé tire plus fort que vous, tombez comme s'il vous avait mis K.O. Attendez quelques instants avant de vous relever, pour voir sa réaction.

Solo de batterie

Si vous voulez que votre enfant devienne batteur de rock, il faut commencer assez tôt. L'avantage d'un batteur en herbe est qu'il se contente d'une casserole et d'une cuiller. Mais attention aux oreilles ! Après deux heures de concert, parions que vous demanderez grâce !

Maintenant que vous voilà prévenu, offrez-lui le matériel adéquat : mettez une casserole à l'envers devant lui, prenez la cuiller, frappez doucement sur la casserole et rendez-lui la cuiller. Après vous avoir regardé attentivement, il donnera vite un premier coup sur la casserole et vous aurez droit à un véritable solo de batterie. Si vous ne détestez pas le bruit, offrez-lui un tambour ou un petit marteau en plastique.

Bon à savoir

Frappez des coups assez forts puis plus doux, ou frappez alternativement sur la casserole puis sur le sol. Votre enfant ne vous imitera pas tout de suite car il s'en tiendra à ce qu'il a déjà expérimenté : laissez-le jouer à son propre rythme.

Déguisement

Coiffez-vous d'un chapeau, d'une passoire, ou même d'un bol et donnez-en un à votre bébé. Vous imite-t-il ? Montrez-lui son reflet dans le miroir et regardez qui de vous deux a l'air le plus rigolo.

Au revoir

Habituez-vous, quand vous partez au travail, à dire au revoir à votre enfant. Prenez-le dans vos bras et faites-lui un câlin. Dites clairement « AU REVOIR ! » Faites encore signe devant la porte. N'en faites pas un rituel interminable, mais ne l'oubliez pas et n'en variez pas trop la forme : votre bébé sera déconcerté si vous le quittez un jour sans dire un mot, et que vous lui faites des adieux interminables le lendemain.

Faites la même chose quand des visiteurs s'en vont après un dîner. Prenez-le dans les bras, approchez-le des visiteurs pour un dernier bisou et saluez ensemble grand-père, grand-mère, tonton ou vos amis. A neuf mois, votre enfant a suffisamment de coordination dans les bras et les mains pour faire signe.

Saviez-vous que...
Les poupées, les peluches peuvent aussi faire signe et dire au revoir !

CONSEIL | *Si votre enfant a une peluche favorite, achetez-lui-en une seconde identique, au cas où la première s'abîmerait.*

A faire avec votre enfant !

Bâtir une relation pleine d'amour avec son enfant est un grand défi. Chaque papa veut évidemment que son fils ou sa fille garde de bons souvenirs de son enfance et de sa jeunesse.

La plupart des papas veulent être autre chose que « l'homme qui ramène l'argent à la maison ». Les pères d'aujourd'hui sont davantage concernés par l'éducation que les hommes des générations précédentes. Plus personne aujourd'hui ne s'étonnera d'un homme qui pousse une poussette, qui change une couche ou qui court avec un bébé dans les bras.

Outre les soins quotidiens, il y a plein de choses qu'on peut entreprendre avec un petit enfant : jouer ensemble, faire de petites tâches ménagères où votre enfant peut s'impliquer. Un enfant se sentira très honoré s'il peut aider son papa pour jardiner ou pour bricoler.

Quand les enfants grandissent, c'est passionnant d'entreprendre quelque chose de spécial avec eux et d'instaurer vos propres rituels : une promenade à vélo le dimanche, un match de foot le mercredi après-midi avec les enfants du quartier, un pique-nique. Vous trouverez de l'inspiration dans ce chapitre.

Vous pouvez regarder les étoiles ensemble.
Lisez éventuellement au préalable un livre
sur l'astrologie ou achetez un télescope.

✔

Pourquoi n'achèteriez-vous pas tous les deux
le même pull ? Succès garanti !

✔

Cajolez votre enfant quand il part à l'école
le matin.

✔

Préparez des gâteaux ensemble
et décorez-les.

✔

Prenez le temps de regarder ensemble des
photos de famille. Expliquez-lui qui est qui,
il aura ainsi une meilleure idée de sa place
au sein de la famille.

Veillez à ce que votre enfant connaisse bien le code de la route. En voiture, ou quand vous vous promenez ensemble à vélo ou à pied, vous pouvez montrer les panneaux et les lui expliquer.

✔

Faites une chouette bataille d'eau dans le jardin.

Fabriquez un nichoir pour le jardin.

Allez vous promener ensemble.

✔

Instaurez des rituels pour des moments spéciaux.

✔

Si votre enfant doit aller à l'école à pied ou à vélo, faites d'abord la route ensemble et montrez-lui les dangers potentiels.

✔

La plupart des enfants adorent jouer avec l'eau. Allez avec eux à la piscine. Veillez à ce qu'ils apprennent rapidement à nager !

✔

Si votre enfant est difficile pour la nourriture, vous aurez moins de problèmes si vous lui promettez une petite récompense : manger un bon dessert, regarder un peu la télévision, etc.

Si vous partez faire du jogging, votre enfant peut vous suivre à vélo.

✔

Composez ensemble une liste de cadeaux pour la Noël, pour son anniversaire, ou écrivez ensemble une lettre au Père Noël.

✔

Si votre enfant vous a offert un dessin, réservez-lui un bel endroit. Ne traitez en aucun cas son cadeau de manière indifférente.

✔

Amenez votre enfant avec vous lors de fêtes de famille ou d'événements importants avec votre cercle d'amis.

✔

Montrez de la compréhension s'il a peur du noir. Donnez-lui une lampe de chevet ou mettez une lampe de poche à côté de son lit.

S'il doit être opéré, lisez-lui une jolie histoire qui se passe dans un hôpital (et qui finit bien !) pour le rassurer.

✔

Faites de la musique ensemble. Vous pouvez faire un concert avec des « instruments » comme des verres et des bouteilles en plastique.

Montrez de l'intérêt pour les passe-temps de votre enfant.

9-12 mois

Petits jeux pour bébé et son papa !

Vers la fin de la première année, votre bébé connaît déjà énormément de choses. Il sait distinguer un ourson d'une assiette et les examiner. Il reconnaît la voix humaine et peut détecter les sons. Il est très intéressé par les détails et il adore tout ce qu'il peut imiter.

Durant cette période, les bébés ont un énorme besoin de liberté de mouvements. Ils partent à la recherche de l'espace. Ils glissent, ils rampent, ils tirent tout ce qu'ils voient, ils escaladent l'escalier et ils posent leurs premiers pas en vacillant... A condition bien sûr, qu'ils se sentent en confiance et en sécurité.

Les bébés adorent jouer plusieurs fois d'affilée au même jeu. Ne vous en faites pas : heureusement pour vous, il vous montrera lui-même quand il en a assez et qu'il veut arrêter.

Votre bébé maîtrise à présent parfaitement l'usage de la « pince » entre le pouce et l'index. Il est capable d'attraper même les plus petits objets.

Très intéressé par les activités de papa, votre enfant est à présent devenu un petit habitant de la maison, toujours prêt à donner un coup de main pour vous imiter. Il va beaucoup s'amuser à laver les enjoliveurs de votre voiture, à vider et à remplir la boîte à outils, ou à fouiller dans le jardin.

La bonne méthode

Le développement d'un bébé connaît beaucoup de sommets, mais également de frustrations. Voyez ses premières tentatives pour avancer en rampant : à sa grande colère, il a davantage de contrôle sur ses bras que sur ses jambes et... il va reculer ! Cela ne dure pas longtemps. Un peu de patience et il trouvera la bonne méthode. C'est à ce moment-là qu'il faut impérativement retirer tous les objets dangereux de son chemin.

Développez sa curiosité et encouragez votre bébé à se mettre en mouvement en agitant devant lui une peluche ou une toupie.

Il peut y arriver de différentes manières. Il peut ramper, c'est-à-dire se déplacer à travers la chambre sur les mains et les genoux, mais ce n'est qu'un moyen parmi d'autres. Votre bout de chou a peut-être d'autres idées en tête. La technique du tigre en chasse par exemple : il s'appuie sur les coudes, les jambes écartées vers l'avant. Elle est parfaite pour les endroits glissants. Et que pensez-vous de la technique de l'ours qui court (sur les mains et les pieds au lieu des mains et des genoux) ? Enfin, il y a des bébés qui ne rampent pas mais qui glissent simplement sur leurs fesses à travers la chambre. En général, ils passeront directement à l'étape suivante, et s'accrocheront au mobilier pour se mettre debout.

Rassurez-vous, toutes ces techniques de mouvement sont absolument normales !

Jeu de doigts

C'est si gai pour un papa tant soit peu bricoleur de confectionner des jouets lui-même. Découpez une souris, une pomme, un éléphant ou un canard dans du carton, décorez-le de couleurs joyeuses et percez plusieurs trous de la taille d'un doigt. Si votre enfant passe son doigt par le trou, il aura l'impression que les silhouettes bougent.
Si vous utilisez du bois léger pour fabriquer ces jouets, veillez à bien poncer les trous.

La chanson des doigts

Voici une petite chanson pour assouplir les cinq doigts de sa petite main, et l'aider à les distinguer.

Il pleut...
D'abord un peu
(on applaudit avec l'index)
Puis un peu plus fort
(on applaudit avec l'index et le majeur)
Puis de plus en plus violemment
(avec l'index, le majeur et l'annulaire)
C'est vraiment un bel orage
(avec l'index, le majeur, l'annulaire et l'auriculaire)
C'est le déluge
(avec les cinq doigts)

Rire

Trompez-vous en affichant une drôle de tête et faites mine de boire son biberon. Mettez vos chaussures à ses pieds et passez sa chaussette à votre gros orteil. Votre enfant commence à avoir le sens de l'humour et il rira des blagues de son papa.

La danse des doigts

Dansez avec vos doigts sur la table et regardez comment votre enfant essaye de vous imiter.

L'araignée Gipsy
(avancez votre « araignée-doigts » sur la table)
Monte à la gouttière
(grimpez sur sa main avec les doigts)
Pan ! Voilà la pluie !
(arrêtez de danser, pétrifié),
Gipsy tombe par terre
(tombez comme touché par la foudre).
Mais le soleil
A chassé la pluie
(réveillez-vous et remuez les doigts)
Et l'araignée Gipsy
Monte à la gouttière
(etc.)

Réconfort

Si votre enfant s'est cogné, s'il est tombé ou il s'est fait mal d'une autre manière, il aura besoin de réconfort. Laissez-le pleurer, puis prenez-le dans vos bras, câlinez-le et donnez un bisou magique sur la partie douloureuse.

Inversez les rôles et regardez comment il réagit quand vous êtes triste. Si vous vous énervez, il va probablement paniquer, mais si vous êtes un peu triste, il peut vous consoler, si vous lui apprenez comment faire. Tant qu'il ne sait pas, il gardera ses distances. Peut-être viendra-t-il vers vous d'un pas hésitant. Prenez sa main et caressez votre visage. Utilisez des mots de consolation. Pauvre papa, tu t'es fait mal ? Montrez-lui que son geste vous guérit et récompensez-le avec un gros bisou.

Une barbe de mousse

La douche peut être un jeu passionnant à condition que l'eau ne soit pas trop chaude. Vous serez éclaboussé quoi qu'il arrive, et c'est encore plus gai si vous allez ensemble dans la baignoire.

Remplissez la baignoire de bain moussant et remuez l'eau vivement. Faites-vous une barbe et un chapeau de mousse et regardez comment votre enfant réagit. Mettez une poignée de mousse sur sa tête et prenez-le dans vos bras pour qu'il s'admire lui aussi dans le miroir.

Donnez-lui un porte-savon vide pour naviguer, ou faites flotter votre bébé comme un bateau : allez et venez le long de la baignoire et n'oubliez pas de faire des sons de bateau.

Il était un petit navire
Il était un petit navire
Qui n'avait ja ja jamais navigué,
Qui n'avait ja ja jamais navigué,
Ohé ohé

Jeu de la dînette

Une dînette, voilà un jeu passionnant dans la baignoire ! Remplir puis vider les tasses incassables et les bouteilles en plastique est une activité qu'on peut recommencer sans cesse. Que se passe-t-il si vous posez quelque chose de très lourd sur une assiette ? Et si papa tire les balles sous l'eau puis les laisse remonter à la surface ?

Fabriquez également un arrosoir à partir d'une bouteille de shampooing vide, en perçant des trous au fond. Montrez-lui comment remplir l'arrosoir, arrosez-vous d'abord vous-même, puis votre enfant. Penchez l'arrosoir dans l'autre sens pour qu'il se vide bien plus rapidement.

Vent de force 9

Soufflez sur le ventre de votre enfant pendant que vous le changez. Alternez une brise de printemps légère et une violente tempête. Faites-en un petit jeu captivant. Si vous respectez toujours le même ordre et que vous gonflez clairement vos joues, votre enfant comprendra vite ce qui l'attend quand il voit vos joues rondes.

Vive le vent, vive le vent,
Vive le vent d'hiver,
Qui s'en va sifflant, soufflant
Dans les grands sapins verts
Vive le vent, vive le vent,
Vive le vent d'hiver
Boule de neige et jour de l'An
Et Bonne Année Grand-Mère

Déposez une balle de ping-pong sur un sol lisse et soufflez dessus, d'abord avec votre bouche puis, plus tard avec une paille. Dans quelques mois, votre enfant pourra jouer à souffle-balle avec vous.

Compliments

La plupart des enfants ont déjà acquis de bonnes capacités de langage lors de leur première année. Ils comprennent un tas de mots et se racontent plein d'histoires.

Vous aiderez votre enfant à se développer oralement en décrivant tout ce qui se trouve dans ses parages. Maintenant papa se lave les mains ; je viens te faire un câlin ; va jouer avec ton mobile, papa va lire le journal...

Expliquez-lui les caractéristiques des objets et des gens autour de lui. Oui, ce sont les lunettes de grand-mère ; regarde c'est ton gros orteil ; c'est bon, hein, ce biscuit ; attention, le four est très chaud.

Ecoutez ses réactions à vos questions et à vos remarques. Récompensez-le s'il comprend ou s'il montre fièrement qu'il sait faire quelque chose. Les bébés ont aussi besoin de compliments !

La joie de la chute

Votre bébé comprend maintenant que vous pouvez non seulement attraper, mais aussi laisser tomber les choses. Il ne fera pas toujours ce que vous lui demandez. L'explication est purement corporelle : votre bébé a des difficultés à tendre les doigts. Il comprend bien ce que vous voulez de lui, mais il ne sait pas encore comment faire.

Demandez à votre enfant s'il est d'accord pour vous offrir l'objet qu'il tient en mains. Tendez votre main sous l'objet, et votre bébé le lâchera tandis que, si vous en tenez une extrémité, il risque de se rétracter et de le garder pour lui. Récompensez-le si ça marche.

Bon à savoir

Si votre bébé découvre qu'il peut laisser tomber les choses, il va s'exercer sans cesse. Il adore laisser tomber un jouet de la baignoire, du parc ou du lit et laisser papa ramasser.

Leçons de nettoyage

Beaucoup de bébés n'aiment pas passer au bain, mais ils adorent laver papa, maman ou leur poupée. Donnez-lui un gant de toilette et laissez-le d'abord laver votre visage puis le sien. Faites la même chose avec la brosse à cheveux.

Châteaux de sable et de boue

Il ne fait pas assez beau dehors pour construire des châteaux de sable ? Qu'à cela ne tienne, vous pouvez aider votre bébé à verser et déverser du sable dans un bac, ou laisser glisser le sable à travers ses doigts. Il ne comprendra pas que le sable se change en boue quand on verse de l'eau dessus, mais il va adorer ça. Le sable mouillé donne d'autres sensations que le sec. Offrez-lui éventuellement une pelle et un petit seau, mais évitez de lui donner trop d'objets en même temps. Ses mains sont ses jouets préférés, ne l'oubliez pas.

Si vous n'avez pas de bac à sable, de jardin ou de balcon à proximité, créez votre propre plage dans la maison. Mettez une grande feuille de plastique sur le sol et donnez à votre enfant un seau plein de sable et un petit bac. Ajoutez un gobelet d'eau, c'est salissant mais c'est bien plus amusant.

Petits morceaux dans la chambre

Le papier est très apprécié par les bébés. Ils peuvent le déchiqueter, le froisser et le mettre à la bouche, parce que c'est très gai à mâchouiller. Gardez les journaux hors de sa portée, donnez-lui plutôt un catalogue ou un vieil annuaire pour qu'il les déchiquette.

Pourquoi pas un rouleau de papier hygiénique ? Votre enfant peut s'en servir pour attacher vos bras et vos jambes, il peut le mouiller pour en faire une boule, emballer les cadeaux et vous les offrir, les yeux ravis quand vous poussez un « oh » de contentement. Il peut bâtir des chemins à travers la chambre pour ses nounours. On est donc à mille lieues de l'usage habituel du papier hygiénique, mais ceci est une autre histoire...

Bon à savoir

Encouragez votre enfant à développer son imagination. Une boîte en carton peut devenir un bateau, une casserole peut être transformée en un lit douillet pour sa peluche préférée, une serviette-éponge et deux chaises forment une hutte idéale pour se réfugier...

Jeux de recherche

Les bébés adorent les jeux de recherche. Posez trois gobelets de carton à l'envers sur la table et cachez un petit jouet sous l'un d'eux. Demandez-lui où vous l'avez caché et soulevez le gobelet. Répétez le jeu jusqu'à ce que votre enfant comprenne ce qu'il doit faire. Pourra-t-il trouver le jouet sans votre aide ?

Ensemble

Beaucoup de pères aiment jouer avec leur bébé à partir du moment où celui-ci participe activement : danser, rouler à vélo, etc. Mais il y a d'autres activités à faire ensemble dès leur plus jeune âge. Saviez-vous que les jeunes enfants adorent aider leur papa dans son travail ?

• Quand vous travaillez dans votre bureau, votre enfant peut jeter les boulettes de papier à la poubelle (et les retirer ensuite).
• Quand vous tondez la pelouse, il peut ramasser l'herbe.
• Quand vous lavez la voiture, il peut laver son auto avec son propre seau, ou vous aider à nettoyer la vôtre (les petites filles adorent ça aussi !).

Profitez-en dès maintenant, parce que, à seize ans, ils vous réclameront de l'argent de poche en échange !

Un lion affamé

Dessinez un cercle sur une boîte en carton et découpez-le. Peignez une tête de lion tout autour. Prenez des fils de laine pour la crinière. Faites un trou pour la gueule du lion, et une entrée latérale pour que votre enfant puisse récupérer la balle que le lion a mangée.

P.-S. Les vrais bricoleurs peuvent ajouter une queue, des oreilles et des pattes !

Ce que disent les enfants de leur papa

Les enfants font parfois des remarques très comiques ou émouvantes à propos de leur papa. En conclusion à ce livre, nous n'avons pas résisté à l'envie de partager avec vous une série de « vérités » enfantines sur la paternité en général, ou sur leur papa en particulier.

Ces remarques sont parfois un vrai miroir pour les papas. Elles peuvent être un indicateur qu'il est temps pour eux de changer d'attitude ou d'avoir une autre vision des choses. Avouez en effet que, si votre fils dit de vous « Je ne voudrais pas être mon papa, parce qu'il ne fait que travailler et payer des taxes et mettre la poubelle dehors », il est grand temps de changer de manière de faire.

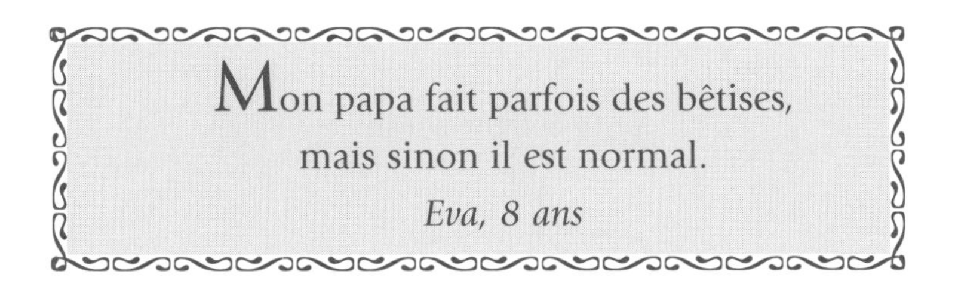

Mon papa fait parfois des bêtises,
mais sinon il est normal.

Eva, 8 ans

Mon papa est restaurateur. J'aime bien quand papa est fermé.
Irina, 9 ans

✔

Ma maman est très gentille et mon papa est encore plus chouette qu'un clown.
Jules, 10 ans

✔

Mon papa fait beaucoup de blagues, mais je ne les comprends pas.
Hélène, 8 ans

✔

Je trouve que mon papa devrait apprendre à aller chercher lui-même ses pantoufles.
Lucas, 8 ans

✔

J'ai demandé un petit frère à mon papa : il m'a dit : « Non, mais tu peux avoir un poisson rouge. »
Jean, 7 ans

Je veux aussi être papa plus tard, parce que tu ne dois plus jamais essuyer la vaisselle.
Maxime, 7 ans

✔

Le soir, mon papa veut toujours me chanter une chanson. Alors, je fais vite semblant de dormir et il arrête.
Théa, 5 ans

Je préfère jouer avec mon papa qu'avec mon chien.
Joris, 6 ans

Le passe-temps préféré de mon papa, c'est le nettoyage. Et celui de ma maman, c'est de l'aider de temps en temps.
Marc, 8 ans

✔

Mon papa est souvent fâché, mais heureusement, pour l'instant, il est dans une période de rire.
Catherine, 9 ans

✔

Cela ne me paraît pas amusant d'être un papa, car tu dois t'occuper d'enfants embêtants et d'une femme.
Eric, 8 ans

✔

Quand je réveille mon papa, il est fâché.
Théo, 10 ans

Cette édition par Chantecler, Belgique-France
Idée originale et conception graphique : ZNU
Texte : Nel Kleverlaan (petits jeux) et Gie Van Roosbroek (reste)
Illustrations : Ellen Cornelis et Mario Boon
Traduction française : Cédric Gervy
D-MMIII-0001-336
Imprimé dans l'UE